JN106597

1週間に1つずつ。

わたしと家族の幸せ時間をつくる 52の習慣

52 Small Changes for the Family

ブレット・ブルーメンソール＆ダニエル・シェイ・タン 著

手嶋由美子＆ディスカヴァー編集部 訳

はじめに

わたしたちはこれまで30年以上にわたって健康に関わる仕事をしてきましたが、幾度となく、証拠を目にしてきました――「小さな変化」ならうまくいくということを。

どんな変化を望んでいるにしろ、次の3つがポイントと言えるでしょう。

・どんな大きな変化も、実は小さな変化の積み重ねなのだということ。
・0か100かの極端なやり方ではうまくいかないということ。
・小さな変化は、達成感を得られるということ

小さな変化をもたらす習慣を紹介した『毎日の暮らしが輝く52の習慣』がベストセラーとなり、このパワフルな効果を実感した声が多く寄せられました。そして、多くの人の願いは、自分だけでなく、子どもやパートナー、親、きょうだいなど自分にとって大切な家族に、いつも健康で幸せに過ごしてほしい、ということだとわかりました。

そんなささやかな、でも本質的な願いを実現するには、何をどのように始めたらいいのでしょう?

そこで本書では、「家族」を中心に、1年（52週）にわたって「心」「頭脳」「体」「絆（人間関係）」の側面から、小さな変化を積み重ねていくというアプローチをとっています。

家族ひとりひとりのエネルギーや精神力、心の安定が高まることで、全員――とくに子どもたちが成長し、能力を最大限に発揮できるようになり、また暮らしを最大限に楽しみ、生活のあらゆる面で満足できるようになるのです。

- ☑ より幸せで前向きなものの見方ができるようになります
- ☑ 自尊心が高まり、自分の心と体を愛せるようになります
- ☑ 頭が冴え、好奇心・集中力が高まります
- ☑ 若々しさを保って健康を守り、老化を防ぐことができます
- ☑ 変化のプロセスをともに経験することで、大切な人との絆が強まります
- ☑ 強い心と体をもって、自分の人生を上手にコントロールする力を得られます

本書は1年を通して取り組み、一定の進歩ができるようにつくられていますが、自分にとっていちばん効果的な方法で取り組んでいただければと思います。この本の順番通りに取り組むよりも、ばらばらに取り組みたいのであれば、それもOKです。

すでに自分のライフスタイルに組みこまれている場合や興味がないという場合は、自由に先へ進み、別の変化に取り組みましょう。

もちろん、すべての習慣を途切れることなく続けられるわけではありません。ときに難しいと感じることもあれば、あなたや家族のスケジュールと合わないときもあるはず。ちょっとうまくいかないことがあっても、がっかりする必要はありません。

何もかもうまくいかないと思ったときには、思い出してください。明日は明日の風が吹くのです。あなたと家族が、毎日やる気と決意を新たに取り組めるようにしましょう。本書で取り上げている変化が習慣として暮らしに溶けこんでいくことが、あなたや子どもにとっていちばん大切なのです。

52週間後（つまり1年後）、あなたと家族の頭が冴え、好奇心や集中力が高まり、感情のバランス、精神力、体の健康が向上し、お互いの関係が今よりも深まっていることを願っています。

ブレット・ブルーメンソール
ダニエル・シェイ・タン

52 SMALL CHANGES FOR THE FAMILY by Brett Bllementhal and Danielle Saea Tan

First published in English by Chronicle Books LLC, San Francisco, California.

Japanese translation rights arranged with Chronicle Books LLC,

San Francisco, California through Tattle-Mori Agency, Inc., Tokyo

わたしと家族の幸せ時間をつくる52の習慣　もくじ

PART 2　冴えた頭脳を手に入れる

PART 3　すこやかな体をつくりあげる

PART4 あたたかな絆に癒される

part1. 豊かな心をはぐくむ

laugh

colorful

meditation sleeping

Week 1

ユーモアを愛する

良質の笑いは万の傷を癒す。

――マデレイン・レングル（アメリカの作家）

ユーモアあふれる生活には大きなメリットがあります。笑いによって、わたしたちは山あり谷ありの人生を楽しみ、体と心の健康を保つことができるのです。

ストレスの多い現代の生活では、笑うことは万能薬になります。わたしたちが笑うとき、ことに、誰かと一緒に笑うとき、脳は気分を高め、気持ちを鎮め、痛みを軽くするエンドルフィンという神経伝達物質を分泌します［＊1、2］。また、エンドルフィンが生成されると、血圧や心拍数を下げる効果も期待できます。

事実、笑いは動脈硬化を改善し、ストレスホルモン、コルチゾール値を下げるため、心機能や血管機能の向上につながるという研究結果も出ています［＊3、4］。65歳以上の男女、2万人以上を対象とした大規模な調査からは、笑わない、あるいはほとんど笑わない人の場合、毎日笑うと回答した人と比べて、心血管疾患に見舞われる確率は1・2倍、脳卒中は1・6倍にもなることが明らかになりました［＊5］。

笑いには免疫機能を高める効果もあるのです［＊6、7］。複数の研究結果から、笑いはナチュラルキラー細胞――感染症の拡大や腫瘍の増殖を抑える白血球――の生成を活発化することがわかっています。

笑いは人と人とを結びつけ、絆や関係を強めてくれます［＊8］。楽しく笑うことで、家族により多くの喜びや幸せをもたらし、人生の浮き沈みを生き抜くための術を子どもたちに学ばせることができるのです。さらに、ユーモアのセンスにあふれた夫婦は、仲がよく前向きで、夫婦関係の満足度も高い傾向にあります［＊9］。

ユーモアと笑いの専門家、ロッド・マーティン博士によると、ユーモアのセンスは遺伝と環境によって決まるそうです［＊10］。笑うのが苦手な人も心配いりません。自分が楽しいと感じる活動に集中して取り組むようにすると、ユーモアのセンスを高めることができます。

家族の幸せのために心がけたい習慣

ささいなミスは気にしない

テーブルにスマホを置き忘れたとか、スリッパで出勤してしまったとか。……そんなときは明るく笑い飛ばしてしまえば、朝の失敗を引きずらずにすみます。明るくおおらかな気持ちでいると、失敗や変化に影響されることが少ないのです。

でも、ひとつだけ注意が必要。ロッド・マーティン博士によると、自虐的なユーモア――他人におもねるために自分を軽んじる姿勢は否定的な考え方につながります。あくまで、ミスを深刻に考えすぎない姿勢がポジティブな日々につながるのです。

毎日の暮らしに遊び心を

日常生活で家族が大笑いしそうなものを探しましょう。子どもはどんなことにも笑いの種を見いだす達人です。ジョークを言うのもおすすめ。ジョークの飛び交う明るい家庭は、子どもにとっても大人にとっても心地よく感じられるはずです。

なりきり仮装パーティで楽しんで

年齢を問わず、仮装パーティーは楽しいもの。子どもたちと一緒に好きなキャラクターのコスプレや楽しいテーマで、仮装パーティーを開きましょう。ハロウィーンまで待つ必要はありません。変てこな帽子や派手なウィッグ、アクセサリーをつけて、写真を撮るだけでＯＫ――あっという間に家族全員が笑いだしますよ。

童心にかえっておどけてみる

毎日、家事に仕事に気を張っているのだから、たまにはくだらない歌を歌ったり、変顔をしたりしてみては？　家族も大笑いしてくれるでしょう。子どもと一緒に愉快な替え歌を歌ったり、ものまねクイズをしたり。何よりも、あなた自身の緊張が解放されて気分がスッキリします。

笑える画像や動画でエネルギーをチャージ

スマートフォンのおかげで、日常のたわいない瞬間をとらえるのは簡単になりました。笑える画像や動画はなるべく保存しておきましょう。疲れたときや落ち込んでいるとき、それらを見返すだけで心が元気になります。家族のほほえましい画像をプリントアウトしてキッチンやパソコンに貼っておけば、いつでも楽しい気分になりますね。

Week 2

感謝の気持ちを伝える

感謝の気持ちは崇高な魂のしるしである。

――イソップ（古代ギリシアの寓話作家）

感謝の気持ちを持つことは、人生に大きな喜びや情熱、前向きな姿勢をもたらしてくれます。

カリフォルニア大学バークレー校での「若者の感謝プロジェクト（YGP）」の研究によると、感謝の気持ちが強い人は、ほかの人より成績も人生の満足度も高く、社会にスムーズに溶けこみ、落ちこんだり妬んだりすることも少ないということが明らかになりました［＊1］。

感謝というのは、ただありがたく思う気持ちだけではありません。それは人生の楽しい面に目を向け、好ましくない経験を克服し前向きなチャンスに変えられる姿勢でもあります。

最近は、感情の起伏が激しくなるティーンエイジャーの時期の抑うつ症や不安神経症が増加傾向にありますが、［＊2］感謝の気持ちを持つことで、困難から立ち直る力や人生の満足度を上げることにつながるのです。

さらに、感謝の気持ちが強い人は熟睡でき、免疫機能が高く、抑うつ感が少ないことを明らかにした研究もあります［＊3、4］。

成長を長期にわたって追った研究からは、10代の子どもたちは感謝の気持ちが強ければ強いほど、人生の目的を見つけ、その目的の裏づけとして、人や社会とつながり、そこに貢献しようという意欲が強いことが判明しました。

ＹＧＰを率いる教授であるジャコモ・ボノとロバート・エモンズが行ったこの研究は、子どもたちに感謝の気持ちを教えることが、より意味のある人生を送ることにつながるのだと気づかせてくれます［＊5］。

家族の幸せのために心がけたい習慣

「ありがとうリスト」を書いてみて

「ありがとうリスト」を書くことで、感謝の気持ちを育てることができます。何に感謝しているのか、丁寧に書くことが大切。まだ字が書けない幼い子どもなら絵を描いて表現してもいいでしょう。寝る前など、ほかの日課に組みこむことで習慣化しやすいのです。

感謝の気持ちを言葉や形にしてみる

友人や家族と感謝の気持ちを伝え合うことによって、支えられている、愛されていることを、お互いに感じられます。感謝の気持ちを言葉にすることを習慣にしましょう。カードに思いをつづったりお礼にクッキーを焼いたりするなど、感謝を形にして表すのもいいですね。

物事のプラスの面を見つけましょう

その日にあったいいこと――美しい花や鳥を見つけたことなど、単純な喜びに感謝しましょう。物事のマイナスの面よりもプラスの面について話し合うことが大切。「今日はど

けましょう。

んなことで笑ったの？」などと質問をして、子どもたちがいいことに感謝するよう働きか

感謝することで立ち直る力を

感謝の気持ちを使えば、イヤな経験に対する見方を変えることができます。何か悪いことが起こったときには、まず傷ついた気持ちを認めるところから始めましょう。これは安心感や信頼を生み、共感力を高めてくれます。

逆境にあっても、プラスの面を見つける方法を子どもに教えましょう。たとえば、ソフトクリームを落とした子どもには、そのおかげでアリたちが食べものにありつけたよ！というように。

Week3

アロマでくつろぐ

大地は花の中で笑う。

——ラルフ・ウォルドー・エマソン（アメリカの思想家）

香りは、気分や記憶、ストレス、認知力に大きな影響を及ぼします。焼き立てのバナナブレッドの香りを嗅げば、くつろいだ気分になるかもしれません。淹れたてのコーヒーの香りを嗅ぐだけで、カフェインを口にする前に、元気が出ることもあるでしょう。

香りには記憶をよみがえらせ、感情に働きかける力があります。嗅覚を司る嗅神経は、感情や感情に関わる回想・記憶をコントロールする脳の部位の近くに位置しているからです。

植物から抽出されるエッセンシャルオイルは、その生理学的効果から、多くの文化で利用されてきました。

アロマテラピーとはエッセンシャルオイルの香りを利用して、気持ちを切り替えたり、健康を促進したりする療法のことです。エッセンシャルオイルは希釈用のキャリアオイルと混ぜてから肌につけたり、あるいは、ディフューザー（加湿器に似た小さな電子機器）

を使って吸入したりします。

最近の研究では、ラベンダーやベルガモット、オレンジなど、一般的に使われているオイルの効果が数値化されています。

たとえば、ラベンダーは、深い睡眠をもたらす効果があることが明らかになっています[＊1]。また、ラベンダー、ベルガモット、ローズマリー、オレンジ、シダーウッドは、ストレスや不安症状のコントロールに効果があるという調査結果もあります[＊2、3]。

エッセンシャルオイルをベースにした商品がたくさん出回っていますが、オイルの質にはかなりばらつきがあります。いくつかのメーカーが使っている刺激の強い化学溶剤は、オイルの健康効果をマイナスに変えるおそれもあるのです。純粋なエッセンシャルオイルを見つけるには、収穫や抽出、品質保証について透明性の高い専門小売店を選びましょう。

エッセンシャルオイルは手軽で安全な治療手段です。気分を高めたり、睡眠障害を克服したり、ストレスの多い状況で感情のバランスをとったりするのに有効です。

家族の幸せのために心がけたい習慣

絶対に口に入れないで

エッセンシャルオイルは通常は蒸気を吸入するか、キャリアオイル（エッセンシャルオイルを希釈する植物油）と混ぜて肌に塗るかします（原液を直接肌に塗るのはＮＧ）。瓶に具体的な指示がある場合や、錠剤・カプセルに調合されている場合を除いて、エッセンシャルオイルは絶対に口に入れてはいけません。

蒸気吸入は手軽で取り入れやすい

アロマテラピーの一般的な方法が、蒸気吸入です。簡単に実践するなら沸騰したお湯にエッセンシャルオイルを加え、部屋を香りで満たしましょう。専用のディフューザーを使うのもおすすめ。

お風呂やシャワーでうっとりタイム

お風呂のお湯にエッセンシャルオイルを数滴垂らしましょう。ラベンダーやローマン・カモミールなどのオイルを加えると、普段のお風呂がくつろぎのオアシスに変わります。

マッサージオイルやローションで癒されて

バージンココナツオイルやホホバオイルのような刺激の少ないキャリアオイルに、好みの香りのエッセンシャルオイルを数滴加えて、世界に一つだけのマッサージオイルやローションをつくりましょう。

香り高いルームエッセンスとしても最高

部屋でアロマテラピーを手早く簡単に楽しむには、自分専用のスプレーを用意するのがおすすめです。小さなガラスか金属製のスプレーボトルに、アルコールを1オンス、水を2オンス、それにお好みのエッセンシャルオイル10～20滴を入れて、混ぜます。

安全な虫よけとしても便利

ゼラニウムやタイム、ミントなど、エッセンシャルオイルには虫よけとして使われるものもあります［＊4］。レモンユーカリはアメリカ疾病対策センター（CDC）の研究により、蚊よけやダニよけとして効果があり、昆虫忌避薬のDEETをベースにした防虫剤よりも自然で安全だと認められています。エッセンシャルオイルで虫よけをつくってみましょう。ただし、虫がライム病などの衰弱性疾患を媒介する地域を旅するときには、自家製のものではなく、臨床的に試験された市販の虫よけを使うことをおすすめします。

Week 4

ブレない価値観を持つ

成功者になろうとするのではなく、価値ある人間をめざしなさい。

――アルベルト・アインシュタイン（ドイツ生まれの理論物理学者）

価値観はあなたのあらゆる考えと行動の中心にあります。あなたが何を優先するのかを決め、あなたが何者か、何のためにがんばるのかを決める原動力でもあります。

価値観というのは、しつけ、教育、友人、家族など、生涯を通じた経験や影響の結果できあがったもの。つまり、人生で何よりも重要だと信じるものであり、自分にとってベストな決断をするためのよりどころとして欠くことのできないものです。

親のふるまいや行動は、子どもが自分の人生でさまざまな価値観をどのように優先させるかに大きく影響します。

ハーバード大学の「思いやりの普及」プロジェクトが行った全国的な調査によると、若者の回答者の80パーセントが、自分の親は他者への思いやりよりも成果や幸せを大切にしていると答えました。ところが、親のほうは、思いやりのある子どもを育てることをもっとも優先していると答えたのです。

この研究の執筆者は、このような食い違いが生じるのは、親の伝えるメッセージと行動が、信条と矛盾しているせいではないかと示唆しています。

親は成果をほかの価値観――他者への思いやりや協力、親切心よりも重視しているという自覚がないため、混乱させるようなメッセージを送ってしまうのかもしれません［＊1］。

このような混乱や誤解を避けるためにも、親は普段の行動やメッセージを自分の価値観と一致させる必要があります。

自分の価値観を理解している人は、自分が何をめざすのか、人生で何を優先するかについて、ゆるぎない自信を持っています。さまざまな機会や選択肢があふれている世界で、価値観はあなたに方向性を与えてくれるのです。

心理学者たちによると、子どもたちは社会を観察し、大人をまねることで、価値観を学ぶそうです。やがて、ティーンエイジャーになると、家族から伝えられた価値観を意識して評価するようになり、自分なりの価値基準へと移行しはじめるのです。

家族の幸せのために心がけたい習慣

ブレない価値観を持つことのメリット

家族はそれぞれ自分の信条を試されるような、重大な決断や難題に直面するでしょう。そんなとき、自分の価値観を理解していれば、決断しやすく、感情的な葛藤も減らせます。次の方法を用いて、個人や家族としての価値観をゆるぎないものにしましょう。

ブレない価値観を持つことには、次のように多くのメリットがあります。

- **目標設定**　他人がどう思うかではなく、自分にとって重要なことに目標設定ができます。
- **よりよい意思決定**　状況や社会的圧力に流されず、自分が重要だと思う行動がとれます。
- **幸せになれる**　自分の価値観に沿った選択ができると、幸福感が増します。
- **自信が生まれる**　自分の選択や決断、人格、個性について自信が深まります。

トップ3を決める

家族の手本となる価値観に一貫性を持たせるために、もっとも重要なもの3つに絞ることが大切です。そうすることで、あなたも家族もより簡単に優先順位をつけて決断できます。次のことを自分に問いかけてみましょう。

- **どの価値がいちばん自分らしく感じ、自分が心から大切にしているものを表しているか。**
- **どの価値なら、一貫してそれに従って行動できるか。**
- **自ら進んで戦い、犠牲を払うことができるものは何か。**

家族の価値観については、これらの質問の答えを家族と一緒に考えましょう。そうすれば、家族として何が重要なのか、統一見解ができあがります。

態度で示す

言葉を通して子どもに価値観を教えるよりも、実際にやってみせるほうが効果的です。たとえば、家族に寛容さが大事だと口で言っても、聞き流されてしまうかもしれません。しかし、家族で一緒に食べものやおもちゃ、服を集めて寄付すれば、寛容さが大切だという手本を示すことになります。

Week 5

暮らしに音楽を取り入れる

音楽には癒しの力がある。音楽の力で、人は数時間、自分の殻から抜け出すことができる。

——エルトン・ジョン（イギリスのミュージシャン）

日々の雑用から日曜のバーベキューに至るまで、音楽はあらゆることに喜びと楽しさをもたらしてくれます。音楽は記憶を呼び覚まして経験を変え、感情に火をつける力があります。その力に動かされて、わたしたちは踊り、走り、泣き、リラックスできるのです。

音楽にはストレスや不安を和らげる効果があります。23の無作為比較試験によれば、あらかじめ録音された音楽を聴かせると、冠動脈性心疾患の患者の心拍数、血圧、不安症状の軽減に効果が見られたそうです［＊1］。

科学的には、音楽を聴くことで炎症が抑えられるだけでなく、血液中のアヘン剤受容体の発現が増え、心を落ち着かせる効果につながるとわかっています［＊2］。

また、音楽は脳の記憶や認知機能に関わる部分に刺激を与えます。気持ちを落ち着かせ、集中力を高める効果があるのです。たとえば、高齢者を対象とした研究では、別のタスクをやりながらクラシック音楽を聴くと、静かな環境でタスクをした場合よりも、エピソード記憶が向上しました[＊3]。

子どもについては、音楽を聴くことで発話能力や言語理解が高まることがわかっています。ある研究では、9カ月の乳児が、(ワルツなどの) 音楽ありと音楽なしでさまざまな繰り返し遊びのセッションに参加しました。4カ月後、音楽に接していた乳児は音楽と話し言葉の神経情報処理が高まりました[＊4]。新しい言語を学ぶ際に音楽や歌を使う方法は、聴いてまねるという従来の方法よりも速く記憶できるのです。

音楽を楽しむことによるプラスの影響は胎児の頃から始まるという研究結果もあります。ヴァン・カー博士の研究では、親が子宮内の赤ちゃんに音楽をかけてあげると、音楽の刺激を与えなかった赤ちゃんと比べて、早期の発話、身体発育、親との絆、授乳に関わる部分で、大きな効果が認められました[＊5]。

音楽のレッスンを始めるのに、遅すぎるということはありません。ピアノの個人レッスンを受けた高齢者の研究では、レッスンを受けなかった人たちと比べて、実行機能や記憶力が高まりました[＊6]。

家族の幸せのために心がけたい習慣

ノンジャンルで幅広く

好みの音楽にかたよらないほうが大きな効果が得られます。音楽のジャンルによって、刺激を受ける脳の部分が変わるという調査結果もあります。また、幅広い音楽を聴く人の場合、脳の聴覚に関わる部位も、感情に関わる部位も活発に機能するそうです［＊7］。

音楽でスムーズに気分転換

癒し効果のある音楽をかけて、気持ちをくつろがせ、すり減った神経を癒しましょう。仕事や勉強をするときにはクラシック音楽を、活力を高めて家族を元気づけるにはアップビートの音楽を聞くのもおすすめ。料理や掃除も音楽を聴きながらだと楽しくこなせます。家族で歌ったり、踊ったり、手を叩いたりして過ごせば最高の気分転換に。

世界にひとつだけのミュージック・ライブラリー

アマゾン・ミュージック、ｉＴｕｎｅｓなどのプラットフォームでは何百万曲という歌やおすすめのプレイリストを提供していて、広告なしで聴くことができます。好きな音楽

を入れた、自分だけのデジタル・ミュージック・ライブラリーをつくるのもおすすめ。

屋外での音楽も楽しんで

ベランダや庭にスピーカーを設置し、ガーデニングやバーベキューをしながら屋外でも音楽を楽しみましょう。もちろん、音量は近所迷惑にならない程度にとどめて。

ライブミュージックは最高！

ミュージシャンの生演奏を楽しむのは最高の経験です。家族で一緒に楽しめるクラシックコンサートやミュージカルも多く開催されています。

一緒に演奏&作曲してみたら

演奏や作曲は、音楽を聴くこと以上の深い効用が得られます。スザンヌ・B・ハンセル博士によると、「音楽をつくろうとすると、脳と体のより多くの部分を使い、揺るぎない経験になる。即興演奏や作曲をしているときはとくにその効果が高い」のです［*8］。

小さな子どもには子ども向けの楽器を買い、〈きらきら星〉のような簡単なメロディーを演奏してみましょう。大きな子どもには、中古の楽器を買ってあげてもいいでしょう。動画を見たりレッスンを受けたりして、みんなで演奏できるようになればすばらしいですね。

Week 6

スピリチュアリティを高める

スピリチュアリティは、わたしたちを部族意識の先にある、より普遍的な考え方へと導いてくれる。

――ディーパック・チョプラ（アメリカの医学博士、代替医療のパイオニア）

スピリチュアリティとは、自分より偉大な、大いなる現象によって宇宙全体がつながっているという考え方で、「大いなる力」「宇宙」「自然」「神的存在」などと表現されることもあります。特定の宗教に限らず、大いなる力や存在――スピリチュアルなものを信じる人は多くなっています。

『子どもの幸福ハンドブック』によると、８カ国に住む12〜25歳の若者６７００人を対象に行われた世界的研究の結果、ごく普通にスピリチュアリティを大切にしている若者は、そうではない若者に比べ、幸福度や学業における成功度、平和的な問題解決能力、前向きさや人生に対する満足度が高く、地域や学校に深く関わることがわかりました［＊1］。

スピリチュアルの教えや実践によってもたらされる希望や楽観主義は、困難や逆境に陥ったときに使える対処スキルや支えにもなります。また、優しさや地域貢献を大切にすることが、長寿や健康、幸福にもつながっているのです。

家族の幸せのために心がけたい習慣

日々、大切な人の幸せを祈りましょう

日々、家族やパートナー、友人といった大切な人たちの幸せを祈りましょう。すべての人に、他人の幸せを高める責任があることを改めて実感するようになります。

振り返りの時間を予定に入れる

毎日の暮らしを振り返ったり、深く考えたりするための曜日や時間を決めておきましょう。たとえば、日曜日の朝を、日記を書く、ヨガをする、スピリチュアル関連の本を読む時間にあてるのもおすすめです。

目標を決めてのぞむことが大切

多くのヨガクラスでは、インストラクターはまず目標を決めるよう参加者に促します。これは、参加者が明確な目標に向かってエネルギーを集中させられるようになるためです。同じように、それぞれのスピリチュアルな目標を達成できるよう、家族全員でその日の目標を決めてください。たとえば、思いやりを示す、自分に優しくする、他人に理解を

示す、など。

自然の偉大さにふれてみて

自然の中で過ごすと、すべての生命がつながっていることを思い知らされます。自然界には、解明されていないことがまだたくさんあります。そのため、自然の中で過ごすうちに、自分より大きな力が数多く存在することに気づかされるでしょう。

Week 7

ものではなく経験を楽しむ

幸せとは、所有物でも金でもなく、魂に宿るものである。

――デモクリトス（古代ギリシアの自然哲学者）

アップル製品にせよ『スター・ウォーズ』グッズにせよ、終わりのない大量消費サイクルの誘惑に負け、大人も子どもも同じように家の中や人生を散らかしています。では、これらのものはわたしたちに幸せを運んできてくれるのでしょうか？

心理学者や研究者によると、人はものより経験にお金を使ったほうが、より多くの喜びや前向きな感情が得られるといいます［＊1］。

時が経つにつれ、お金で買ったものに対するわくわく感は弱まる一方で、お金で買った経験に対する精神的な結びつきは強くなっていきます。子どもの場合、新しいおもちゃや機器をねだった数週間後、場合によっては数日後に、また別のものを欲しがるのはよくあることです。

時間とともに新しいものは目新しさを失い、日常の一部となり、少しのあいだしか喜びや満足感を与えてくれません。自分が持っているものすべてに感謝できるときもありますが、「もの」はあって当たり前のように感じられるのが普通です。

一方、経験は、時間とともに何度でも思い起こすことができ、無限の喜びを運んできてくれます。それどころか、時が経つにつれて、実際の経験よりも自分に都合のいい記憶に変えてしまいます――人は、物事の悪い面よりいい面を見る傾向があります。また、経験は複数で共有する場合が多いため、よりたくさんの喜びをもたらします。

つまり、経験がより多くの喜びと幸せを運んできてくれるもうひとつの理由は、自分だけでなく、他人とも共有できるからです［＊2］。経験を共有することで、人間関係を深め、新しい絆を築けます――そのどちらもわたしたちの幸せにつながっているのです。

ものを通じて幸せを追求することは、はてしなく連鎖し、さらには永遠に満たされない虚無感につながってしまいます。

生涯忘れられない思い出となる経験を通じて、人生がもたらすすべてに感謝するというお手本を子どもたちに示し、伝えていきたいものです。

ものより経験を追求する家庭では、がらくたを減らし、新しいチャンスを家に招き入れることができます。次の方法を参考にして、家族がものより経験を大切にできるようにしましょう。

家族の幸せのために心がけたい習慣

無意識にものを買わない

子どもが必要ではないものを欲しがったら、欲しい理由、値段や、それを買うメリットについて一緒に話し合ってみて。親は、自分自身がものを買うときのプロセスを意識して共有することで、よいお手本を示しましょう。

ものの代わりとなる経験を

何か新しいものが欲しいと言われたら、同じ金額で経験でき、効果が長続きする方法はないか話し合います。たとえば、子どもは最新のスポーツウェアを買うより、スポーツのイベントに参加するほうを選ぶかもしれません。

ものを持つことの価値を見直す

あなたも家族も最新のおもちゃや機器、服や本を持つことに慣れているかもしれませんね。その場合、新しいものを買うより、今持っているものの再利用に目を向けることで、その考え方から脱することができます。

ひとつ買ったらひとつ減らす

新しいものをひとつ買うたびに何かひとつ処分する、あるいは寄付する、というルールをつくりましょう。本や映画、音楽などのコレクションは除外してもかまいません。

家族みんなで「やりたいこと貯金」

家族でやってみたいことを書いたリストをつくりましょう。リストは家族みんなで書き、それぞれがお金を貯めて新しい経験を計画したいと思えるよう、見えるところに貼っておきましょう。また、より現実的にするためには「家族でやりたいこと」のためにお金を貯める瓶を用意します。何かを買うのをやめた分だけ、その瓶に貯金しましょう。

お祝いには経験をプレゼント

プレゼントに品物を贈ることで誕生日や卒業を祝うのが一般的ですが、経験を贈るほうがより心が満たされるのです。プレゼントを贈り合う行事では、ちょっとしたお祝い品にプラスして（あるいはお祝い品の代わりに）何か一緒に経験する予定を立てましょう。

たとえば、子どもの高校卒業祝いに品物を贈るのではなく、本人が行きたい場所へ家族旅行をするのもいいですね。子どもたちは、この先何年もその経験を思い出すはずです。

Week 8

自分の体を愛する

人はよく「美は見る人の目に宿る」といいますが、美のもっとも自由なところは、その「見る人」は自分なのだと気づくことだと、わたしは思います。

——サルマ・ハエック（メキシコ出身のハリウッド女優）

生身の人間の体と、テレビや商品パッケージで見る加工された完璧なイメージのあいだには大きなギャップがあります。非現実的な美や体型のイメージは、自分の体に抱くイメージや自尊心に悪影響を及ぼすため、自分の体に対する不満は早ければ幼少期に始まり、生涯続きます。

米国摂食障害協会（ＮＥＤＡ）によると、わずか6歳の女の子でも自分の体型に不安を口にするようになるといいます。小学生になる頃には、女の子の40～60パーセントが太りすぎや体重の増加を心配するそうです［＊1］。この年頃の子どもは体型にストレスを感じるのではなく、楽しみ、遊び、学び、生きる喜びを感じることに集中すべきなのに。

米国国立衛生研究所（ＮＩＨ）は、健康的な体格指数（ＢＭＩ）を18・5から24・9のあいだに定めていますが、調査によると、平均的なファッションモデルのＢＭＩは16であることがわかりました[＊2]。この不健康な統計に反対し、モデルの体重やBMIを規制する法律を制定した国もあります。

たとえば、フランスではモデルは健康状態とBMIを記した医師の証明書の提出が義務づけられ、イスラエルではモデルはBMIが最低でも18・5は必要です[＊3、4]。

男の子の自分の体に対するイメージも同様です。スーパーヒーローたちの大柄で筋肉質の体型も、男の子が抱く男らしさのイメージを歪めています。1300人近くの思春期（12〜18歳）の男の子を対象とした調査によると、筋肉量を増やし、体を鍛えるため、35パーセントの男の子がプロテインを飲み、6パーセントがステロイド剤を使用し、10パーセントが筋肉増強剤を使っていることがわかりました[＊5]。

映画やおもちゃで見るイメージは変えられませんが、わたしたち自身の態度、購買習慣や会話の内容を変え、子どもたちが自分の体をポジティブにとらえやすい環境をつくることはできます。

ある研究によると、親が自分の体に対していいイメージを抱くようになることは、子どもが自分の体に満足し、自信を持てるようにする上で必要不可欠だといいます。

家族の幸せのために心がけたい習慣

健全なロールモデルを見つける

ボイストレーナーから水泳のコーチまで、子どもの人生にとって重要な役割を果たす大人はすべて、その子の身体イメージに影響を与える存在です。自分を愛し、見た目よりスキルや才能を重視するよう促してくれるロールモデルを見つけましょう。

子どもが計量を受ける、食事を記録する、あるいは特定のサプリメントを摂取しなければならないようなスポーツチームや習い事には十分に気をつけてください。

自分の体を大切に扱って

自分の体をケアし、守る方法はいくつでもあります。また、そうすることで自分を愛する心とポジティブな自尊心が育つ強い土台を築くことができます。自転車に乗るときはヘルメットをかぶる、歯を磨く、水分をとる、健康的な食事をする、アクティブに過ごす、十分な休息をとるなど、簡単なことを心がけるだけで、体を大切にし、健全な自尊心を育てることができます。

ネガティブな言い方をしない

子どもは、わたしたちが鏡に映る自分の姿に対して小声でつぶやくネガティブなひとり言を含め、大人の言動をすべて吸収します。自分の見た目や他人の見た目についてネガティブな言い方をすると、子どもまで自分の見た目をより意識し、酷評するようになります。そこで、自分や他人についてのコメントは、なるべくポジティブになるよう心がけてください。これは子どもにとっていいだけでなく、あなた自身もより自分を愛せるようになるのです。

体の変化について話し合いましょう

思春期とその前後に起きる体の変化について心の準備をさせておくことで、子どもを勇気づけ、自分の成長過程を理解できているという自信を与え、また、これから起きることを予測できるようにしてあげられます。思春期の兆候に関連した変化は早ければ8歳頃から始まるため、子どもがその年頃になったら話し合っておくといいでしょう。

Week 9

折れない心を育てる

成し遂げたことではなく、失敗しても立ち上がった回数でわたしを評価してほしい。

――ネルソン・マンデラ（南アフリカ共和国の政治家）

親である人の多くは、子どもをトラウマや危険、悲しみから守りたい、逆境を乗り越えられるようになってほしいと願っています。ただ、子どものためには過保護に育てるより、レジリエンス（回復力）とグリット（やり抜く力）を身につけさせるほうがずっと役に立つのです。

レジリエンスは、人をトラウマや悲しみから守ってくれます。数多くの研究から、回復力がある人は、ストレスに対する抵抗力が強く、うつ病になる確率が低く、心血管イベントなどのトラウマからの回復が早いことがわかっています。こうしたタイプの人は普通なら自信喪失し、耐えられないような経験にも打ちのめされたりはしません[*1]。

レジリエンスがある人は、困難に直面しても順応し、逆境を耐え抜きます。心理学者で著述家のアンジェラ・ダックワースは、成功に関わる回復力を表すのに「グリット（やり抜く力）」という言葉を使っていますが、大きな成功を収めた人たちを何年にもわたって調査した結果、グリットは、ＩＱや成績、名門大学を卒業したことよりも成功の予測に役立つことを発見しました。

ダックワースは、「人並み外れて回復力が高く、努力家で、困難や障害、さらには失敗に直面したときでさえ続けようとする」人がもっとも人生で成功するといいます［＊2］。グリットがあれば、挫折に関係なく、成功する可能性は必然的に上がるのです。

レジリエンスもグリットも何歳からでも身につけられると専門家たちはいいます。自分や家族の回復力を育てるには、支えになってくれるコミュニティーと強い絆を築くことから始まります。前向きで有意義な人間関係は、困難やストレス源に直面したときに、力づけてくれる希望や楽観的な感覚を与えてくれるのです。

家族の幸せのために心がけたい習慣

自分に合ったストレス対処法を使う

心理学者によると、効果的なストレス対処法がいくつかあります。問題に取り組むときは計画を立てる、ほかの人に助けを求める、決断するにあたってメリットとデメリットを書き出す、忙しいときは頼まれても断る、などです。

楽観主義をはぐくむ

楽観的でいるのは健康によいそうです。成人135人を6年間追跡調査したところ、楽観主義者は悲観主義者と違って、ストレスに直面してもコルチゾール（ストレスホルモン）が増えないことがわかりました[＊3]。うまくいかないことがあっても、自分には乗り越える力があると信じ、ピンチをチャンスととらえるようにしましょう。

振り返る練習をする

レジリエンスの強い人は失敗を客観的に観察し、状況を受け入れ、学び、前に進みます。問題に直面したら、まずは自分の気持ちを認め、同じことを繰り返さないためには何を変

えたらいいか考えてみましょう。たとえば、うっかり子どもに怒鳴ってしまったとします（大丈夫、誰にでもあることです）。そんなときは、あやまちを認め、次からどうすればいいか説明する機会にしてしまいましょう。失敗について振り返るお手本を見せるのです。

健全なリスクテイキングは、成長のチャンス

健全なリスクテイキングをしている子どもはレジリエンスもはぐくんでいます。木登りをしたり、学校の劇のオーディションを受けたりするとき、子どもたちは問題解決スキルや勇気、自尊心、レジリエンスとグリットを身につけようとしているのです

やめるほうが健全な場合もある

わたしたちは、やめるというのは避けるべき選択肢だという考えを植えつけられています。ところが、研究によると、情熱や興味を失ったときにはやめるのがいちばんだとわかったのです。子ども時代はスポーツ、趣味などを探求する時期であるため、興味をなくすとすぐにやめてしまいがちです。そんなときは、子どもたちと話し合い、やめるのを恐れずに探求を続けられるバランスを探しましょう。

Week10

「今」に集中して生きる

過去と未来、このふたつの永遠の出合い……それはまさに現在である。

——ヘンリー・デイヴィッド・ソロー（アメリカの思想家）

もう何千年も前から、ありとあらゆるスピリチュアルや宗教がマインドフルネス、つまり「今を生きる、今に集中する」ことが幸せへの近道であると説いています。

TrackYourHappiness.org（iPhoneで幸福度をチェックするサイト）の創設者によるデータ分析の結果、こうした指導者たちは正しかったことがわかりました。

80カ国、5000人以上から集めたデータによると、人がもっとも幸せなのは、プラス思考かマイナス思考かに関係なく、心が別の場所をさまよっていないときであることが判明したのです［*1］。

世界中のさまざまな場所で、あらゆる年齢を対象にマインドフルネスを主体としたプログラムが行われ、人気を博しています。意識を鍛えるテクニック、呼吸のエクササイズや瞑想などを使ってマインドフルな生き方を学ぶと、大人はストレス管理や感情コントロールがうまくなるという研究結果があります。さらに、血圧が下がり、免疫機能が向上し、痛みが減るそうです［*2、3、4、5］。

子どもにもメリットはあります。マインドフルネスの方法を教わると、子どもは感情のコントロールや人生における困難への対処がうまくできるようになります。また、幸福度が上がり、不安や気分の落ちこみが軽減され、集中力も高まるそうです［*6、7］。

マインドフルになるための鍵は、自分の人生を他人や状況にまかせて自動運転のように無意識に生きるのではなく、人生の選択についてじっくり考えること。

人生を主体的に生きるようになると心強いだけでなく、よくない状況に陥った場合にも自分の身に起きたできごとをコントロールできていると感じられるようになります。今を生きるには、自分の人生の主人公になる必要があるのです。

家族の幸せのために心がけたい習慣

テレビをやめて、「今」を大切に

毎日、時間をどう過ごしているか自覚することが大切です。たとえば、労働統計局によると幼い子どもがいる男性と女性のどちらも、1日に平均2時間以上テレビを見ていることがわかりました[＊8]。仕事や家事で忙しく過ごした1日の終わりにテレビを見るのは心が解放される時間かもしれません。けれども、テレビに費やす時間を、人生により多くの喜びをもたらすものに使うことだってできるのです。

しつこく考えすぎない

マサチューセッツ大学医学部マインドフルネス・センターの創設者で元センター長のジョン・カバット・ジンは次のように言っています――「普段の思考はわたしたちの頭の中を、耳をつんざく滝のように勢いよく流れている」。

思考を振り返り、処理するのは重要です。でも、すべてを分析しようとして膨大な時間とエネルギーを費やしては、今を楽しむ力のさまたげとなってしまいますよ。

ゆっくりと呼吸する

意識的な呼吸には、衝動買い防止や心を落ち着けるなど多くのメリットがあります。一緒に呼吸をする仲間（ぬいぐるみなど）がいれば、幼い子どもにも呼吸の持つ力を伝えやすいでしょう。

マインドフルな散歩や瞑想をする

定期的な散歩を「気づきの散歩」にし、以前なら気づかなかったことをゆっくり散歩しながら見いだすこともマインドフルネスに効果的です。散歩では、「立ち止まってバラの香りを楽しむ」ような心のゆとりがもたらされます。

瞑想は、心を鎮(しず)め、今を生きる余裕をつくるのにとても有効です。また、感情をコントロールし、内なる自分とつながるためのツールにもなります。

感情に支配されないで

思考と同じように、感情がわたしたちの頭を支配し、意識的に生きるさまたげとなっている場合があります。もっと大切なのは、親の姿を見て、子どもも感情のコントロールの仕方を学ぶということです[＊9]。親がマインドフルネスの練習をすると、最終的には子どもにとってもメリットがあります。

Week 11

いつも前向きに

毎日、その日が1年で最高の日だ、と心に刻みなさい。

――ラルフ・ウォルドー・エマソン（アメリカの思想家）

いつも笑顔の人は悪い状況をいい状況に変えられ、また、どんな不幸に直面しても心が折れないことを、多くの人が知っていることでしょう。

科学は明確に教えてくれます。人生の明るい面に目を向けたほうが、そうしないよりもずっとたくさんのいいことがあるのです！

食生活やライフスタイルに関係なく、前向きでポジティブな人は悲観的な人より健康であることが研究から明らかになっています。

前向きな態度は血圧、コルチゾール（ストレスホルモン）や炎症を抑え、高血圧、心血管疾患や気道感染症などのリスクを下げることと関係があります［＊1、2］。

実際、いくつもの調査から、楽観的な人は、とくに乳がん、脳腫瘍、心血管疾患など、命の危険がある病気にさらされたときの死亡率が低いことがわかっています［＊3］。

もちろん、楽観的な態度が必ずしも診断をくつがえせるわけではありませんが、前向きな人のほうが、危機的な状況を一時的なものとしてとらえられる分、病気にうまく対応できるのです。しかも、希望を持って治療を続けようとするため、生存率や治癒率も高くなります。

楽観主義は、練習することによって高められるスキルだと考えられています。それだけではなく、前向きな態度は影響力があり、人から人へと伝染しやすくもあります——快活で楽観主義の友だちと時間を過ごすと、自分まで元気が出ることを思い出してください。

お互いにポジティブな気持ちを高めることは、家族や大切な人たちの人生を健康的で幸せなものにするのに役立ちます。

家族の幸せのために心がけたい習慣

自分の考え方のクセを知る

あなた自身の思考傾向も家族や大切な人に影響を与えます。悲観的な人は、自分の思考傾向に注意を向けるところから始めてください。楽観的な人は、意識的に言葉を使い、希望についてオープンに話し合うことで、家族のほかのメンバーも同じ思考傾向をはぐくめるようにしましょう。

明るい兆しを見つけましょう

物事を楽観的にとらえる練習をすると、家族が不運や問題を乗り越え、耐え抜く手助けになります。まずは、問題を解決するためにできる前向きな行動について紙に書き出します。完成したら冷蔵庫や掲示板に貼って、みんなで見直し、希望を抱きつづけるようにしましょう。

大変なときこそ口角を上げてほほえんで

表情フィードバック仮説によると、たとえつくり笑いでも心を和ませ、気分をよくする

といいます［＊4］。笑顔になったり、笑い声をあげたり、意識的に気持ちを前向きにしたりして楽観的なふりをしてみましょう。自然と笑顔になれるように、家族がふざけている写真を机の上に飾る、子どものお弁当箱に元気が出るメモを入れる、などもおすすめ。

自分の強みを信じればＯＫ

自分の強みをリストアップしましょう。そこからひとつ選び、1週間のあいだ、これまでとは違った新しい使い方をしてみてください。これは自己肯定感を与えてくれるため、自信が高まり、置かれている状況に取り組むパワーを与えてくれるでしょう。

いいことリストで幸せな気分に

毎日、その日にあったいいことを3つ書き出してください。それらを食事中に家族と共有したり、日記に書いて肯定的な思い出や気持ちを振り返ったりできるようにしましょう。

Week12

自尊心を高める

過去に何があり、未来に何があるかは、わたしたちの内側にあるものに比べればささいなものである。

——ラルフ・ウォルドー・エマソン（アメリカの思想家）

健全な自尊心は、あなたの家族がより大きな幸せ、健康や成功を手に入れるためにはぐくむことができる重要な性質です。

自尊心は、ストレスやうつ病などの精神疾患に対する防御因子として考えられ、慢性疾患を持つ人や、がんや心臓病などの深刻な病の診断を受けた人の高い生存率と対処能力にも関係しています［＊1］。

さらに、自尊心の高い子どもは学業成績がよく、読解力もあり、大人になったときに仕事に対する満足度が高くなります。自尊心は幼少期にはぐくまれ、思春期まで高い状態で保たれているのが一般的です。

子どもの自尊心がはぐくまれる過程における親の影響力は大きなものです。温もりを与えてくれ、無条件に支えてくれる親がいる子どもは、自尊心が高い傾向があります。

ところが、親が子どもを過大評価し、他人よりすぐれていると感じさせてしまうと、子どもは高い自己愛を示す可能性が高くなります[*2]。一方で、親が子どもをけなしてばかりいると、子どもの自己認識が歪められ、自尊心も低くなる傾向があります。

家、学校、職場や仲間内における経験は、わたしたちの気持ちや自己認識に影響します。たとえば、学校でからかわれている子どもが、親や仲間の承認、愛情や無条件のサポートを得られなければ、その子の自尊心は大きな打撃を受けるでしょう。

常に自分を有名人やまわりの人たちと比べたりする人は、自尊心が低い傾向があります。また、信じがたいことですが、親になることが自尊心を傷つける場合もあるのです。8万5000人近くの女性を対象に行われたある大規模な調査によると、女性は子どもを出産してから最初の3年以内に自尊心が低くなりがちであることがわかっています[*3]。

家族で協力し合って自尊心を高めると、人生のいいときも悪いときも、成長し、成功できる可能性が増します。

家族の幸せのために心がけたい習慣

それぞれの個性を大切に

家族それぞれの性質、スキルや興味を探し出し、個性は大切だという認識を高めましょう。家族の誰かが自身に否定的な感情を持ちはじめていたら、その人の個性となっている資質を思い出させ、家族みんなでその個性を称えてください。

子どもの意見を尊重して

何か決めるときに子どもの意見を制限したくなったら、ちょっと待って。家や職場で重要な決断がなされるにあたって、意見を求められたらどう感じるでしょうか？　自分を尊重され、ほめられたように感じ、自信がつくはずです。

子どもは発言権を与えられると、自己効力感が高まり、内面の強さが鍛えられます。さらには、自分の決断や選択がもたらす結果を受け入れられるようになります。たとえば、幼い子どもには夜に読む本やその日に着る服、家族団らんの時間にしたいことを決めさせましょう。

健全な意見のぶつけ合いをする

専門家によると、子どもが自立を求めて家族のルールに逆らうのは普通のことで、発達の証だといいます。ですから、親子で意見の対立を避けるより、お互いを尊重した話し合いに参加させましょう。10代の子どもにとっては、自己主張し、まわりのプレッシャーに関係なく自分で決断することを学ぶ機会となります。

悪口や批判はNG

常に批判的な意見を浴びせられていると、自尊心が傷ついてしまう場合もあります。人に意見を言うときは、あたたかく、親しみをこめて伝えましょう。いつも批判的な意見を言って、あなたや家族の自尊心を傷つける人には会わないようにすることも大切です。

ポジティブなひとり言を言う

ひとり言とは、心の中でする自分との話し合いです。自尊心を高める簡単な方法は、自分自身に対するポジティブで肯定的な言葉を繰り返し声に出して言うことです。研究者によると、そうすることで、ポジティブな考えをはぐくみ、認めることになり、結果的に自尊心が高められるといいます。

ネガティブな思いはゴミ箱にポイ！

おすすめなのが、否定的な考えを書き出し、実際にその紙をくしゃくしゃに丸めてゴミ箱に投げ捨てる方法です。一連の研究で、否定的な考えは書いたけれど捨てなかった子どもには、引き続き否定的な態度や行動が表れていたのに対し、捨てた子どもは、その後ネガティブな考えに影響されることが少なくなりました［＊4］。

才能ではなく努力をほめましょう

専門家によると、ほめ方次第で、子どもが自分のどこに価値を見いだし、他人との関係で自分をどう見るか、が大きく変わるといいます。たとえば、外見ばかりほめられた女の子は、思春期になると、外見以外のよい部分を正しく評価したり、はぐくんだりするのが難しくなります。生まれ持った資質（外見や音楽・運動の才能など）をほめる代わりに、努力していることをほめるようにしましょう。

ほかの人と比べない

常にほかの人と比べていると、少しずつ自尊心が失われてしまいます。他人との比較につながるようなことは避けましょう。スタイルよく加工された女優の写真を見たり、頻繁にソーシャルメディアをのぞいたりしていると、うわべだけを気にし、人と比べてばかりになってしまいます。こうした活動を減らすことが心を守ってくれます。

Week12

Week13

心の知能指数を育てる

あなたがどれほど親身になってくれるか知るまでは、どれほど知識を持っていようが誰も気にしないのです。

――セオドア・ローズヴェルト（アメリカの政治家）

心の知能指数とは、「自分や他人の気持ちや感情を観察し、識別し、そうして得た情報を使って自分の考え方や行動の指針とすること」です［＊1］。心の知能指数「EQ」が高い人は一般的に幸福度が高く、心も体も健康であることが多いのです［＊2、3］。

EQが高い人は、チームで働いたり、切迫した状況で仕事をしたり、仕事のストレスを乗り切ったり、さらには組織の中で支え合い、信頼し合える、影響力のあるネットワークを築くのが上手です［＊4、5］。また、仕事でより大きな成果を上げ、昇進・昇給が早く、同僚や上司からも高く評価されます［＊6］。ある調査によると、EQが高い教師は仕事関連のストレスに悩んだり、燃え尽きたりすることが少ないそうです［＊7］。

親としては、子どもたちが感情豊かに育ち、それを表現できるようになってほしいと願いますが、感情に追いつめられてほしくはありません。まだ子どもが小さく、気持ちのコントロールを覚えはじめたばかりの頃は、感情を爆発させたり、かんしゃくを起こしたりしても当然です。ところが、学童期になっても感情のコントロールができなければ、学業や人間関係など人生で多くの困難に直面することになります。

一方で、高いEQを備えた子どもたちは、授業に集中し、高い学業成績を収め、生産性の高い学び方ができます[＊8]。その上、優しく、思いやりがあるので人と衝突しても解決するのが上手です[＊9、10]。

心の知能指数は、若者や10代の子どもが不健全な行動をとるリスクを下げます。大学生を対象にした調査によると、EQが低い若い男性は飲酒や違法薬物の使用に走り、暴力などの反抗的な態度を示し、健全な人間関係を築けない傾向が高いそうです[＊11]。

親は子どもの心の知能指数を伸ばす上で根本的な役割を担っています。かんしゃくを起こしている子どもに、落ち着いて救いの手を差し伸べるのは、子育てでもっとも難しいことのひとつです。このような感情的になりがちな場面であればこそ、自分の感情をコントロールし、対処する能力に気づかされます。

幸い、大人でも互いに協力し合って心の知能指数を高め、あらゆる人間関係を改善できると専門家たちはいいます[＊12]。たとえば、ある調査によると、夫婦のどちらか一方でもEQが高ければ、両方とも結婚生活に満足し、自分たちの関係を肯定的にとらえていることがわかりました[＊13]。

家族の幸せのために心がけたい習慣

まずは気持ちを認めてあげて

臨床心理学者ローラ・マークハム博士は、親が子どもの感情に共感して受け入れることで、子どもたちは自分の気持ちを表し、受け入れ、早く前へ進めるようになるといいます。

ある調査では、親が感情的に余裕があり思いやりを持って接していた乳児は、自制心が強く、状況に適応できる幼児に成長することがわかりました［＊14］。これは大人にも当てはまります。パートナーと親密になる効果的な方法のひとつは、相手の気持ちを正当であると認め、その気持ちを受け入れ、あなたがふたりの関係を気にかけ、重要に思っていると伝えることです。

心の知能指数が高いロールモデルを探す

コーチ、教師、友人が子どもに与える影響について考えましょう。サッカーや野球の試合で負けているときに、コーチが叫んだり怒鳴ったりすれば、子どもたちはそれが普通なのだと思うかもしれません。そうではなく、健全な感情表現ができるロールモデルを探しましょう。

あなた自身のEQを高めましょう

あなたの今の心の知能指数がどうであれ、EQを高めるための行動は、磨く価値があるスキルだといえます。研究によると、とくに感情のコントロールや人との関わり方について、子どもは親のまねをすることがわかっています[＊15]。

感情をうまくコントロールする7つのヒント

感情があるのは普通です。ところが、自分自身が感情を受け入れなければ、それは心の中に押しこめられ、怒りとなって爆発したり、うつに発展したりします。

次の7つのヒントを使って、強い感情を健全な方法でコントロールできるようにしましょう。

- **10まで数える**　怒りやいらだちをコントロールするのに役立ち、簡単で効果的です。
- **深呼吸する**　深呼吸は体を落ち着け、強い感情をほぐしてくれます。
- **ひとり言**　自分への励ましは、困難に直面したときに自信と回復力を与えてくれます。
- **否定的な見方を変える**　置かれている状況のプラス面に目を向けましょう。
- **物理的な距離を置く、あるいは体を動かす**　考えをまとめて強い感情を解放できます。
- **社会的支援**　話を聞いてくれる友人や家族を頼ることで、感情を切り替えましょう。
- **瞑想**　心を落ち着け、強い感情をコントロールするための予防策にもなります。

手に入れる

aroma music

healing

part2.

冴えた頭脳を

objective

Week 14

読書を楽しむ

読めば読むほど、知識が増える。学べば学ぶほど、行き先が増える。

――ドクター・スース(アメリカの絵本作家)

寝る前の読み聞かせは昔から受け継がれてきた習慣で、心あたたまる思い出をかきたてられるものです。読書がストレスを和らげてくれることは明らかにされていますので、リラックスして眠りにつくのに完璧な方法といえます[*1]。子どもが文字を読めるようになっても続けましょう。子どもはいくつになっても、本を読んでもらうのが好きですし、それを糧に大きく成長していきます。

読解力というのは大切なスキルであり、それを常に向上させ、しっかり身につけるには、繰り返し練習することが必要なのです。

テレビを見るのとは異なり、読書は能動的な行為です。そのため神経経路が発達し、賢くなるのです。ある研究では、3~5歳の子どもにあらかじめ録音された物語を聴かせ、そのときの脳をスキャンしました。すると、脳の左側にあるいくつかの部分で活発な動きが見られ、この動きは読み書き能力を大切にする家庭の子どものほうが活発でした[*2]。

子どもたちに読み聞かせをし、本がすぐ手にできる環境を整え、さまざまな読み物を与えれば、それだけ子どもの脳神経細胞が発達し、理解力、語彙力、言語運用力が高まるのです。

読書は創造力も高めます。子どもが自分の想像力を使って物語のイメージを自分のものにできるからです。また、読書は子どもの学習面にも情緒面にも、とてもいい影響を及ぼします。

ある研究によると、ただ話しかけるだけよりも、本を読み聞かせるほうが、子どもの読み書き能力向上に結びつくそうです。トーマス・シュティッヒの研究によれば、子どもの聴解力は読解力よりも高いそうです。子どもは言葉を文脈の中で聞くことで、それを話したり、読みながら理解したりできるようになります。つまり、小さなうちに高度な本や語彙に接すれば、それだけ子どもの語彙力や読み書き能力も高くなるのです［＊3］。

自分に合った読書の習慣を取り入れることで、脳や心の健康に驚くような効果が得られます。年齢にかかわらず、読書をすることで創造力が刺激され、ストレスが減り、集中力が高まります。また、新しい知識を得ると言語能力が高まるため、頭も冴えるのです。

家族の幸せのために心がけたい習慣

読んでから眠りにつきましょう

就寝前の日課に読書を組み入れましょう。早めにベッドに入れば、一緒に本を楽しむ時間がたっぷり確保できます。10歳前後の子は自分でも読めますが、研究結果によると、それでも大好きな人から読んでもらうのを好むそうです［＊4］。

どこにでも本を持っていく習慣を

病院の待ち時間や電車に乗っているときなど、子どもたちが退屈しないように、わくわくする新しい本をバッグに入れておきましょう。おもちゃを持ち歩くよりずっと効果的です。年齢にかかわらず、子どもは大好きな人にお話を読み聞かせてもらうのが好きです。

図書館で本とめぐりあう

家族で図書館を訪れましょう。図書館には、あらゆる時代の本がそろっていて、新しい発見に事欠きません！　児童書コーナーがあるので、小さな子どもも自由に見てまわれます。子どもが自分で夢中になれそうな本を見つけたら最高です。

本は最高の贈りもの

誕生日やクリスマスなどのプレゼントに、本や図書券を贈るのもおすすめです。一緒に店内を冒険してみましょう。できれば何冊か試し読みをしてから買うようにします。

子どもと一緒に本選び

楽しめる本が見つからないと、子どもは読書への興味を失ってしまいます。なんと、子どもたちの41パーセントがおもしろい本を見つけるのに苦労しているのです［＊5］。図書館の司書に相談し、おすすめの本を教えてもらうのもいいでしょう。

オーディオブックで語彙力アップ

最近はたくさんの本がオーディオブックになっています。スクリーンタイムを減らせるだけでなく、読書習慣を身につけるのにも役立つのです。まだ自分では読めない物語を聴くことで、読み書きの力が高まり、語彙も増えます。

電子書籍もうまく活用して

電子書籍なら、書店や図書館では手に入らないような貴重な本にもどんどんアクセスできます。旅行に出かけるときは、たくさんの本を簡単に持ち運びできて便利ですね。

Week15

ものを減らし、整える

片づけの目的はきれいにすることだけではありません。その環境で暮らすことが幸せだと感じるためでもあるのです。

――近藤麻理恵（片づけコンサルタント）

子どもが大きくなるにつれて、家にはどんどんものがたまっていきます。こうしたものは、カウンターやテーブルの上、洗面台の下、クローゼットの中に積み上がっていきます。実は、家が散らかっていると家族の健康を損なうことになるのです。

複数の研究結果によれば、家が散らかっていると、わたしたちは思った以上に注意力を奪われて、疲労が増し、コルチゾール（ストレスホルモン）値が上がることがわかっています［＊1、2］。とくに子どもはその影響を受けやすいのです。

散らかった家も含めて、無秩序な家は子どもの健康状態の低下につながるという研究もあります［＊3］。それも不思議はありません！

アレルギーと喘息の専門家であるウマ・ガヴァニ博士は「持ちものにひそんでいるイエダニ、ペットのカビが、アレルギー反応の引き金となったり、空気の質を低下させたり、喘息になる可能性を高めたりする」といいます[＊4]。

家の中の不要なものを減らすと、家族が使えるスペースが広がるだけでなく、集中力や生産性、学習効果が高まります。さらに家族全員が後片づけや掃除、探しものに費やす時間も減らせます。

家が散らかっていると、子どもの読解力にも影響が及びます。コロンビア大学の研究チームが、幼稚園児、あるいは小学校1年生の子どものいる455世帯を対象に調査をしたところ、家の片づき具合が、表出語彙を含む3つの早期の読解力に大きく関わっていることがわかりました。家が散らかっていればいるほど、子どもの読解力は低くなってしまうのです[＊5]。

家の中を整理すると、頭の中も住まいもすっきりして家族が楽しく生活でき、頭も冴え、生産性が上がります。

家族の幸せのために心がけたい習慣

お片づけプランを立てる

週ごと、月ごとの目標に沿った計画を立て、ものを捨てる基準を決めておきましょう。子どもたちのアイデアも取り入れられるように、余裕のある計画にしておくのがコツです。

せまい場所からスタート!

まずは、取り組みやすいところから。洗面台の下やクローゼットの片づけなら、すぐにできるので、達成感も得られ、続けようという意欲がわきます。小さな場所でうまくいけば、もっと広い場所の片づけもできるはず。

少しずつ、定期的に

片づけはつい後回しになりがち。子どもがいる家庭の場合、片づけてもすぐに散らかってしまいます。対策は、「少しずつ、定期的に」。片づけの目標を立てましょう。処分する服やおもちゃなどを入れておく箱を用意し、決まった場所に置いておきます。週1回、同じタイミングで片づけることを習慣にすれば、ためこまずにすみますよ。

すべてのものの置き場を決める

家族全員にそれぞれのものの置き場所を決めさせれば、小さな子どもでも片づけられます。いつもの習慣に合った場所を選びましょう。たとえば、カウンターの上にレシートがたまってしまうなら、いちばん手近な戸棚に、小さなフォルダーを用意して。

冷蔵庫をお忘れなく

冷蔵庫には子どもの描いた絵や、学校のプリント、請求書、レシピに至るまで、さまざまなものが貼られています。ＵＣＬＡ（カリフォルニア大学ロサンゼルス校）の調査によれば、その家の冷蔵庫を見れば、ほかの部分の散らかり具合もわかるそうです［＊6］。まず、レシピなど、ネットで見られる印刷物を捨てることからスタート。次に、使っていないマグネットや古い書類は処分しましょう。

ひとつ増やしたら、ひとつ減らす

使い古したタオル、ぼろぼろのぬいぐるみ、穴のあいた靴下など、とって置いていませんか？　場所をとるものは数を決めること。「ひとつ増やしたら、ひとつ減らす」方法なら、ものの数を最小限に保つことができます。新しいものを買ったら、そのたびに古いものを処分します。厳しいルールですが、驚くほど効果があります！

Week16

デジタル・デトックスを始める

わたしたちの時代の最大の神話は、テクノロジーがコミュニケーションだということだ。

――リビー・ラーセン（アメリカの作曲家）

わたしたちの生活では、テレビはもちろん、コンピューター、スマートフォン、タブレットなどが不可欠の存在となっています。残念ながら、それらを使えば使うほど、心と体の健康にマイナスの影響を及ぼす可能性があります。デジタル機器を使う時間（スクリーンタイム）が長すぎると、集中力の持続時間、集中力、実行機能が落ち、肥満や攻撃的行動、うつ病のリスクが高まり、孤独感をもたらすことすらあるのです［＊1、2、3］。接する年齢が早いほど、集中力の欠如などの問題が生じる年齢も下がります［＊4］。

ヨーテボリ大学の研究では、コンピューターや携帯機器を日常的に使っていると、ストレスや睡眠障害、若年性うつ病につながる可能性があることが明らかになっています［＊5］。また、西オーストラリア大学の調査によれば、若者はソーシャルネットワーク（SNS）やインターネットの使用で、気分の落ちこみや孤独、憂うつを感じるそうです［＊6］。とくに子どもの場合、デジタル機器の使用は睡眠時間だけでなく、健康的な睡眠サイクルを維持するのに重要な身体活動や運動の時間をも奪ってしまうのです。最近の研究によると、4〜8歳の子どもの場合、毎日テレビを1時間半以上見る子どもは、1時間半未満の子どもと比べて肥満になる傾向が高いそうです［＊7］。

わたしたちはテクノロジーによって「つながっている」と感じますが、実際には社会的交流の質は下がります。幼い子どもの場合、デジタル機器にふれることによって脳の発達、とくに、社会的手がかりを理解し、表情のような言語以外のサインに対する反応を司る部位の発達がさまたげられます。これは共感や思いやりをはぐくむのに必要な部位です。

デジタル機器使用が仲間や親への愛情に及ぼす影響に関する研究では、青年のふたつの大きなグループをおよそ16年の間隔をあけて調査しました。その結果、スクリーン使用が、親や仲間への愛着心の低さと関連していることがわかりました［＊8］。

デジタル機器に時間を費やせば、それだけ家族や友人と直接関わる時間が減り、うつ病のリスクが高まるのです。メリーランド大学で行われた研究からは、不幸な人はテレビを見る時間が長く、「とても幸せ」と回答した人は、読書や社交に費やす時間が長いという結果が出ています。

デジタル機器の前で過ごす時間を減らして、子どもたちが新しい活動に挑戦したり、想像力を使ったり、友人や家族との関係を深めるチャンスとして生かしましょう。

家族の幸せのために心がけたい習慣

テクノロジーを使わない時間を決める

毎日、テレビやスマホなどに費やした時間を記録し、減らせるように努力しましょう。可能なら、子どもたちにも自分で記録させます。学校、仕事、個人的な用事に、さまざまな機器を何時間使ったか記録しましょう。

新しい趣味やスポーツを試してみて

新しい趣味を始めたり、友人と過ごす時間を増やしましょう。子どもたちは発想が豊かなので楽しむ方法を見つけます。小さな子どもには、ブロックなど想像力をはぐくむおもちゃや工作の材料を用意して。大きくなれば音楽や美術、本、スポーツを楽しむこともできます。

デジタルよりもライブパフォーマンスを

テクノロジーを使わずに生(ライブ)でできることを選ぶこと。テレビや映画を見る代わりに、演劇やコンサートといったライブのパフォーマンスを楽しみましょう。その感動は、スクリーン越しのものとは大きく違うはず。

誰かと一緒のときはノー・デジタルに

ほかの人と過ごすときには、すべての機器を消しましょう。子どもは、生の交流を通して社会性をはぐくんでいくのですが、デジタル機器はこれをさまたげてしまいます。機器を使わずとも楽しい時間は過ごせます。音楽をガンガン鳴らすダンス・パーティーをさせてあげたり、家族で絵を描く夜を設けたり、エアホッケー台を用意したり、部屋や庭にバスケットボールのゴールを取りつけたりするのもおすすめです。

Week 17

瞑想でマインドフルネスに生きる

わたしたちのひと息ひと息、わたしたちの一歩一歩は
安らぎと喜び、静けさで満たすことができます。
――ティク・ナット・ハン（ベトナム出身の禅僧・平和運動家）

瞑想のルーツは5000年前にさかのぼりますが、いまやもう仏教の僧やヒッピーだけのものではありません。オリンピック選手や有名起業家など、さまざまな人々が強力なツールとして活用しています。

瞑想が健康に与える効果は、西洋医学からも認められています。瞑想をすると、おだやかで安らいだ気分になり、心のバランスや集中力が保たれ、この効果は瞑想が終わってからも続きます。ストレスを和らげ、幸福感や前向きな気持ちを高めるのにも有効で、血圧を下げたり、不安や不眠の予防や治療、慢性の痛みを抑えたりするのにも使われてきました。

軽度から中度の不安や抑うつ感を抱える人の場合、瞑想は抗うつ薬と同じくらいの効果があるという研究結果もあります［＊1］。また、瞑想は炎症を抑え、病原菌に対する免疫システム反応を強化するのも助けます[*2]。

子どもの場合、瞑想を行うと集中力や注意力が高まり、不安や衝動性が減り、ストレスレベルが下がり、感情を上手にコントロールできるようになります。

ある研究では、瞑想を中心とするマインドフル・アウェアネス・プラクティス（MAP）の学校用プログラムを、カリフォルニア州ロサンゼルスの2年生と3年生の4クラスずつで実施しました。子どもたちは8週間にわたって週に2回、30分だけプログラム活動に参加しました。プログラム終了後の教師や親からの回答によると、子どもたちの行為規制などの実行機能、メタ認知などが向上したそうです。

最大の進歩が見られたのは、トレーニングをする前にはもっとも調節機能が弱いとされていた子どもたちでした[*3]。同じような理由から、瞑想はADHDや注意障害のある子どものための補完療法としても取り入れられています。

瞑想は脳にも影響を与えます。調査結果からは、日常的な習慣として瞑想を行うと、海馬の灰白質、学習と記憶に関わるほかの脳構造を活性化させ、その一方で、ストレスに関わる扁桃体の灰白質の密度を下げることがわかっています[*4、5]。

1日わずか10分の瞑想でも、家族の気分を落ち着かせ、感情を安定させるのに役立ちます。家族のいつもの習慣に瞑想を取り入れれば、みんなが熱心に簡単に続けられます。

家族の幸せのために心がけたい習慣

スケジュール化すればカンタン！

瞑想を行う日と時間を決めましょう。瞑想は1日のどの時間に行ってもいいのですが、1日が始まる前の早朝、あるいは1日の終わりの夜がとくに効果的でしょう。

集中できる場所を選びましょう

気が散るものが少ない場所を見つけましょう。自宅の静かな部屋でも、近所の落ち着いた公園でもかまいません。椅子や毛布などの上に心地よくすわったり横になったりできるようにします。

ゆったりとした気分でくつろぐ

同じ場所に5〜20分すわっていても窮屈に感じない、くつろげる服を着ましょう。温度調節ができるように、脱ぎ着しやすい服装がおすすめです。伝統的な座禅は、あぐらをかき、背筋を伸ばした状態で行うものですが、子どもの場合は、横になったり、壁に寄りかかって体を支えたりして行うほうが簡単かもしれません。

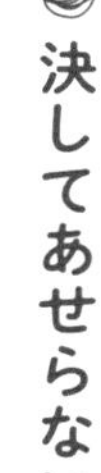

決してあせらないこと

瞑想時間は1日5分から始めましょう。調査結果によると、20分間の瞑想を1日2回行った場合の健康効果がもっとも高いようですが、1日5分でも十分にプラスの効果が期待できます。

便利なテクノロジーを使いこなして

ポッドキャストからアプリまで、瞑想の質を高めてくれるテクノロジーにはさまざまなものがあります。瞑想用の音楽は、iTunesやアマゾンで入手でき、スマホやタブレットなどで手軽に聞くことができます。

Week 18

想像力を羽ばたかせる

子どもはみな芸術家だ。
問題は、大人になってからいかにして芸術家でいつづけるかだ。
——パブロ・ピカソ（スペイン生まれの画家）

アートやクリエイティブな表現は知性を高め、心をはぐくみます。癒しを目的とした絵画や著作、音楽、演劇についての研究を再検討したところ、こうしたクリエイティブな活動が被験者のストレスや不安、抑うつ感、否定的な感情を軽減していることがわかりました。

また、心の回復力が保たれ、コントロール感も得られることから、創造活動には認知症やその予防効果があるとする研究結果もあります［＊1］。

子どもたちの場合、クリエイティブな活動は創意工夫や冒険、自己表現、問題解決のためのよい機会になります。模型をつくったり、脚本を書いたり、アクセサリーをデザインしたりするには、結果や、それぞれの過程が狙いどおりになるかどうかもわからないまま、常に決断が求められます。

このため、創りあげる過程でどんな展開になっても、それを受け止めて柔軟に対応することを学び、その結果、自信がついて、物事が計画どおりに運ばなくても立ち直る力が育つのです。

さらに、クリエイティブな活動は子どもの発達を支えます。幼児なら、お絵かきや組み立て遊びを通して、言葉を発達させ、運動技能も強化できます。子どもは（そして大人も）、言葉では伝えられない感情を、クリエイティブな表現を通して伝えます。

大きな子どもの場合、クリエイティブな活動に関わることにより、学校の成績や標準テストの点数が上がり、中退率が下がるなどの教育的効果にも結びつきます［＊2］。ダンスや音楽、演劇など、他者と関わる舞台芸術も、積極的な社会ネットワークづくりを後押し し、子どもや若者に安心感をもたらします。

親はお手本となって、率先してクリエイティブな活動をしてみましょう。料理だろうと、絵画だろうと、ブロック遊びだろうと、何かを創りあげるプロセスは人生の厳しさを忘れさせてくれます。

忙しい毎日にゆとりをもたらし、気持ちを落ち着かせ、ネガティブな感情と向き合う時間にもなるでしょう。クリエイティブな活動は人生をより豊かに意義深いものにし、将来のキャリアに必要な問題解決やイノベーションの技術を磨くこともできるのです。

家族の幸せのために心がけたい習慣

汚してもいい環境を準備しましょう

多くの親は、汚れるのではないかと心配になります。とはいえ、紙以外は汚してはいけないと言われたら、楽しくありませんよね。汚れることも表現の一環と考えましょう。床や家具は汚れ防止の布、ビニールのテーブルクロス、段ボールなどで簡単に保護できますよ。

画材や手芸道具をそろえて

絵が好きなら絵の具や筆、スポンジ、色鉛筆、上質紙などの基本的な材料をそろえておきます。アクセサリーづくりや編み物、ロボット製作が好きなら、キットや適切な道具を買っておきましょう。

とにかく自由に好きなように

クリエイティブな活動はいつでもどこでも可能で、何かを完成させる必要もありません。音楽なら即興で新しいコードや音色を試したり、ダンスなら自由に踊って新しいステップを考えたり。干渉せずに、自由に創造する機会を与えましょう。

Week18

Week 19

目標を設定する

目標を持たないことの問題は、一生、駆けずりまわったあげく、何も得られないという羽目になりかねないことだ。

——ビル・コープランド（アメリカの著述家）

目標を立てることで、人生で何を実現したいかがはっきりし、時間の使い方についての方針が得られます。しかし、もっと重要なのは、目標を立てると成功の可能性が高くなることです。

目標設定に関する現代的理論の先駆者である、エドウィン・ロック博士とゲーリー・レイサム博士の研究では、目標設定によって意欲が生まれること、成果や成功の可能性が高まることがわかっています［＊1］。

どんなに小さな目標でも、設定して達成することで、喜びや自尊心、達成感などの前向きな感情がもたらされます。また、達成することで、もっと大きな目標、もっと難しい目標に挑戦しようという意欲も増します。その上、目標を立てることで得られた自信が、ネガティブな考えや不安、恐怖心を消し去り、もっとポジティブな見方や意欲的な姿勢につながるのです。

仕事においても、個別の目標を立てると自立心が強まり、行動や業務について当事者意識が高まります。同じように、自分の目標を設定する学生は、自主的に学ぶ姿勢が強く、より高い成果が得られます。

たとえば、無作為の実験によれば、4カ月にわたって目標設定プログラムに参加した成績不振の大学生の場合、スコアが上がり、最大限の履修単位数を維持できる可能性が高くなり、ネガティブな感情を訴えることが減ったそうです［＊2］。

別の研究結果からは、具体的な課題に結びついた目標を立てた大学生の場合、そうでない学生と比べてよい成績をとる可能性が高いことが明らかになりました［＊3］。

家庭で目標を立てるようにすれば、子どもたちは自分の主張を持ち、自分がこうなりたいという将来を思い描けるようになるのです。

家族の幸せのために心がけたい習慣

まずは小さな目標からスタート

大きな目標はやる気を高めてくれますが、達成には時間がかかります。近い将来に達成できそうな小さな目標をめざすことで、達成感と幸福感をより早く味わうことができるのです。小さな目標を設定する際には、大きな目標を細かく切り分けてもいいですし、小さな目標をひとつひとつ立ててもかまいません。

定期的に目標を設定しましょう

目標設定を家族の定期的な習慣にしましょう。目標は必ず達成できるわけではありませんが、定期的に目標を立てることで、やる気や集中力が高まり、手際よく行動できるようになります。失敗しても、それを学びや成長の機会ととらえましょう。

目標はSMARTに

専門家の多くが、目標はＳＭＡＲＴ——具体的で（Specific）、目に見える成果があり（Measurable）、すぐに実行でき（Actionable）、現実に直結し（Relevant）、期限のある

(Time-bound）もの――であるべきだとアドバイスしています。気持ちを奮い立たせ、再調整できる目標を設定することで、成功の可能性を高めましょう。

人に伝えればうまくいく

調査結果によると、目標を記録したり、誰かに伝えたりする人は、そうでない人に比べて、成功する可能性が高いそうです。ホワイトボードに家族の目標を書いたり、夕食時に目標について話し合い、それをノートに記録したりしましょう。

お互いに進み具合を把握する

家族の進み具合を把握すれば、励まし合うことができます。シールを使って楽しく達成を祝ってもいいですし、冷蔵庫に貼りつけた予定表に進み具合を記録するのもおすすめ。記録は勝ち負けではなく、目標達成までの節目や努力を祝うためなのだと確認しましょう。

Week20

限界にチャレンジする

人生は大胆な冒険か、もしくは無です。

――ヘレン・ケラー（アメリカの教育家・社会福祉活動家）

リスクを負う、新しいことを試す、自分の限界に挑戦することは、成功しても失敗しても、エネルギーと興奮と冒険気分を与えてくれます。子どもたちが恐怖心をコントロールし、自分の限界を知り、いらだちや怒りを処理し、勇気と自信を身につけるためには、大人以上にこれらの感覚を経験する必要があります。

残念ながら凶悪事件が頻発しており、多くの親がわが子を守るため、過保護ともいえる子育てを強いられているのが現状です。

ところが、よかれと思ってやっていることとはいえ、失敗や落胆、小さなケガから過剰なまでに守る最近の子育てでは、子どもが星をつかもうと手を伸ばしているのにその先にある喜びを経験するチャンスを奪っているのと同じです。幸福を研究する心理学者たちによると、本当に幸せな人は、自分のコンフォートゾーン（心地よい場所）の外でリスクを負うことは、自身の成長や発達に必要だと考えているそうです［＊1］。

子どもたちにとっての「危ない遊び」は、自分自身をコントロールするのに必要なスキルを身につける土台を築いてくれるのです。危ない遊びとは、屋外で子どもが軽いケガをするリスクがある遊び全般を指します。

エレン・サンドセーターとリーフ・ケナヤによる論文では、子どもたちに必要な危ない遊びを6つのタイプ――高いところでの遊び、スピードが速い遊び、大人から離れた場所での遊び、危険な道具やものを使う遊び、危険な目に遭うかもしれない状況での遊び、子ども同士の体を使った遊び（レスリングやチャンバラなど）に分けています。

だからといって、2歳の子どもに剪定ばさみを渡せというわけではありません。この研究によって、子どもはいつか自分の限界が試されるときがくる――しかも親の想定より早くに――ことが裏付けられたのです。

危ない遊びを制限しすぎることは長い目で見ると、より大きな害をもたらす場合があります。過保護に育った子どもも、いつかはリスクに直面するのですから。

子どもは、親をまねることで健全なリスクテイキングの仕方を学べます。あなたが健全なリスクテイキングを重視すれば、子どもたちはリスクを負い、新しい経験をコントロールできたことを誇らしく思うようになるのです［＊2］。

家族の幸せのために心がけたい習慣

安全に遊べるスペースを決める

子どもにどれだけ「だめ、そっちに行かないの！」とか「だめ、危ない！」と言っているか、注意してみてください。子どもは誰かに見張られていなくても、自分をコントロールし、決断できるようになる必要があります。そこで、親に「だめ」と言われずに自由に遊べる安全なスペース――「いいよ」のスペースをつくってあげましょう[＊3]。

つくりがいがあるプロジェクトに取り組んで

金づち、クギやはさみを禁止するのではなく、それらを使ったプロジェクトに取り組みましょう。金づちやのこぎりを使う練習として本棚や小さな台をつくってみるのもおすすめ。針や糸を使って破れた靴下をつくろうなど、屋内でできることもいいですね。

あえて失敗させてあげて

子どもは失敗することで、プライドをコントロールし、がっかりした気持ちを乗り越え、謙虚でいつづけることを学びます。親として心は痛みますが、失敗を通じて、子ども

は立ち直る力を鍛え、どうすれば成功できるかがわかるようになります。
ですから、子どもがボードゲームで負けても、野球で空振りばかりでも、あなたが心の支えとなって、無条件の愛情を注ぎ、励ましつづければ、子どもは安心して次の挑戦に向かえます。あなた自身の失敗談を話してあげると、親子の絆も深まりますよ。

一緒に挑戦してみましょう

家族で新しいことに挑戦するのは、消極的な子どもが自分のコンフォートゾーンから踏み出せるようになるのにうってつけです。家族でボルダリングを楽しんだり、絵や陶芸にチャレンジしてみるなど、新しいスキルや興味を深めたりするのもおすすめです。

子育てのコンフォートゾーンから一歩踏み出す

子ども時代、木に登ったり少し離れた店に自転車で行ったりしていませんでしたか？これらの経験は、あなたの性格やリスクの許容範囲を決定し、危険に対処する内なるコンパスをつくってくれました。もし、親がその機会を与えなかったら、あなたのリスクの許容範囲はとてもせまくなっていたでしょう。

過保護な親になりそうな人は小さなステップから始めてください。安心だと思える限界を伝えつつ、行動は制限しないように。たとえば、「木を下りなきゃいけないことを忘れないでね」と「高いところまで登らないで」とでは受け取り方が違ってきます。

Week 21

静けさの中で過ごす時間をつくる

沈黙とは、知恵を育てる睡眠である。

――フランシス・ベーコン（イギリスの哲学者）

朝起こしてくれる目覚まし時計から夜眠りにつかせてくれるノイズマシンまで、わたしたちは一日中、音に囲まれています。高血圧、糖尿病の発症、睡眠障害や強いストレスとの関連を指摘する研究があるにもかかわらず、音は健康の危険因子として見落とされがちです［＊1］。

子どもはとくに音に敏感です。慢性的に音にさらされることで読解力、記憶力や集中力がさまたげられるだけでなく、認知機能障害や情動性症状との関連も指摘されています［＊2、3、4］。

騒音公害は、街中、空港や幹線道路の近くのほうがひどいかもしれませんが、個人の電子機器、大音量でかける音楽、テレビからの雑音など、自ら進んでさらされる騒音公害もやはり悪い影響を及ぼします。テレビからの雑音は集中力の持続時間の低下、親子の交流の質の低下や認知的作業の成績低下にもつながります［＊5、6］。

驚くことに、生後8カ月～8歳の子どもは1日に4時間もテレビからの雑音にさらされているといいます。研究者たちは、これを「テレビの間接的視聴」と呼び、この音による実行機能と自己調整機能への悪影響について評価しはじめています［＊7］。

一方、静けさには、落ち着いた音楽以上に心拍数と血圧を下げる力があります［＊8］。家族が起きる前、明け方に目を覚ます習慣がある人は、静けさの持つすばらしい力を実感していることでしょう。考えがより整理され、生活音があふれているときよりも集中し、専念できます。実験によると、毎日2時間を静けさの中で過ごしたマウスは、そうではないマウスより新しい脳細胞のレベルが高いことがわかったそうです［＊9］。

定期的に静けさを大切にしている家族は心を鎮める、気持ちを落ち着かせる、脳を休ませ回復させるなど、その恩恵を受けることができます。

家族の幸せのために心がけたい習慣

クワイエットタイムをとる

できれば、毎日クワイエットタイム（読書など、静かに音を出さずにできることをする時間）をつくりましょう。音楽をかけたりせず、みんなに静けさを大切にするよう促します。クワイエットタイムの長さは10分でも30分でもかまいません。家族全員がこの時間を楽しみにし、静けさを通して心をリセットできる儀式にすることが大切です。

沈黙の時間を大切に

静かに振り返る、祈る、呼吸する、あるいは瞑想するための沈黙の時間を毎日設けている学校もあります。同じような時間を家族の生活にも取り入れましょう。毎日の食事の前後や、通学・通勤時の車内で、静かに過ごすのにちょうどいい時間を見つけてください。

混乱の中で静けさを見つける方法を学ぶことは、家族にとっていつまでも役立つスキルになるでしょう。

静かな活動を選びましょう

スポーツ、ボードゲームや映画など、家族でする活動は騒々しくなりがちです。そこで、家族の日常に静かな活動を取り入れましょう。自然の中で過ごす時間を増やすか、瞑想や深呼吸をする時間を見つけるのもいいでしょう。静かにできる活動としては、読書、粘土遊び、模型づくり、ヨガや図画工作などもおすすめです。

寝る前は家の中を静かに

夕食後の寝る前の時間は、テレビ、音楽、ゲームの音でどうしてもうるさくなるもの。週に数日、寝る前の時間を静かに過ごす日を決めましょう。眠りを誘うメラトニンの生成を促すために照明を落とし、読書やぬり絵など、家族みんなで、またはそれぞれに静かな活動をするよう働きかけましょう。

ノイズをできるかぎり抑える

ノイズ（雑音）を減らすために開発された商品が増えつつあります。防音ガラスや防音カーテン、分厚いカーペットも効果的です。電化製品の音が大きい場合は、静音設計の新しいモデルを購入することを検討して。

高品質のノイズキャンセリングヘッドフォンを買うのもおすすめ。このヘッドフォンは、互いに邪魔になることなくそれぞれの活動ができるため、家でも旅行でも便利です。

Week22

好奇心を育てる

わたしに特別な才能はない。ただ好奇心が強いだけだ。

――アルベルト・アインシュタイン（ドイツ生まれの理論物理学者）

子どもを持つ親なら、何でもかんでも聞いてくる可愛らしい（そして少しイライラさせられる）時期を覚えているでしょう。「なぜ、空は青いの？　なぜ、雨が降るの？　なぜ、イチゴは赤いの？」と、終わりのない質問を浴びせてくる子どもたち……。

幼い頃から好奇心や学習意欲をはぐくむことで、より多くの成功、喜びや幸福に満ちた人生を長く送れるようになります。

常に新しいスキルを学び、知識をつけることで、わたしたちはよりおもしろみのある、生き生きした人間となり、人生に多くの喜びを見つけられるようになるのです。

実際に、好奇心が満たされると心が元気になり、幸せを感じる神経伝達物質のドーパミンが分泌されることがわかっています。さらに、研究者たちはＭＲＩ（磁気共鳴画像）を使って、好奇心が満たされると脳の報酬系が活性化することを確認しました。これは、わたしたちが興味深い新しい情報を知ることに喜びを感じていることを示します［＊1］。

新しいスキルの習得は、とくに年を重ねるにつれ、頭を冴えさせ、記憶力を高めてくれます。ある研究では、①認知力の高さが問われる新しいスキルを学んで練習、②知力を必要としない社会的な活動に従事、③あまり難しくない、社会と接点のない課題を追求した3つの高齢者グループの知性を比較しました。すると、わずか3カ月で、新しいスキルを学び、練習した人は、ほかの2グループに比べ、エピソード記憶、視空間情報処理や知的作業を行うスピードにおいて認知に改善が見られたといいます［＊2］。

自分を試すことで、脳の機能を高め、脳内に新しいニューロンとニューロンの回路がつくられるニューロン新生を促し、知能を向上することができるのです。

親には子どもの学習意欲を持続させる力があります。たとえば、長年にわたる研究の結果、質問をするように働きかけ、定期的に新しい経験をさせ、好奇心を促してくれる親を持つ子どもは、そうではない親を持つ子どもに比べ、科学に対する興味が強く、また、理科の成績が高いことがわかっています［＊3］。

学習しやすい環境を提供し、成長を優先する家庭では、一生続く知識に対する情熱を持った、幸せな子どもを育てることができます。

家族の幸せのために心がけたい習慣

子どもと一緒に楽しく学ぶ

定期的に、自然センター、動物園、科学博物館や美術館へ家族で出かける予定を立てましょう。または、芸術、歴史や音楽について一風変わった学び方として、バザーやアンティークショップを回るのもおすすめです。

みんなで探検家になろう！

毎年同じところに旅行をするのではなく、家族でいろいろな場所を探検し、さまざまなものを発見しましょう。ガイドブックや地図を買い、子どもに冒険の計画を立てるよう働きかけるのもいいですね。

家族の興味を土台にする

子どもたちが興味を持っている事柄に焦点を当てることで好奇心をかき立てることができます。スパイダーマンに夢中になっているなら、クモを見に科学博物館や動物園へ。図書館でクモに関する本を借りたり、毛糸で実物大のクモの巣をつくったりしましょう。

オンラインで調べる

グーグルという味方を得た今、インターネットで調べられないことはありません。グーグルやそのほかの検索エンジンを使って効果的に調べる方法や、信頼できるソース（情報源）を見つける方法を教えてあげましょう。

好奇心を刺激するおもちゃや本を与えて

あらゆるジャンルの本を与え、学習意欲を刺激しましょう。幼い子どもなら、マグネットブロック、カラフルなパイプや水車を含む水遊び用のおもちゃなど、好奇心を刺激するよう考えられたおもちゃもあるといいでしょう。学童期の子どもには、望遠鏡、電子工作を学べるおもちゃ、機械の構造を学べるキット、昆虫飼育セットや実験セットも。

ごほうびではなく前向きなフィードバックを

キャロル・ドゥエック博士は、努力やがんばりをほめると、子どもがもっと挑戦し、学ぼうとする意欲をはぐくむことができ、逆に、頭のよさをほめると、その活動に対する楽しみが減り、粘り強さがなくなり、パフォーマンスが落ちると言います［＊4］。ごほうびを与えるのではなく、好奇心や学習意欲をほめてあげましょう。子どもの作品を壁に飾る、子どもの新しい発見を祖父母や友人と共有する、などもおすすめです。

Week23

お金の貯め方・使い方を身につける

重要なのは、お金を稼ぐことではなく貯めることである。

——古いことわざ

お金に関する不安や心配はストレスとなり、家族の健康に直接影響します。さまざまな調査結果を見ると、借金などの金銭的問題を抱えている人は、気分の落ちこみ、不安や怒りといった症状も訴えています[*1、2]。

24～32歳の若者8400人を対象に行われた調査の結果、借金が、うつや高血圧などの健康上の変化をもたらすことがわかりました。

専門家たちは、お金に関する知識や態度は、家庭で身につけさせるべきだといいますが、残念ながら、お金について話し合うのを避ける家庭が多いのが現状です。

預金口座を持つなど、子ども時代を通して金銭的に社会とつながる経験をした人のほうが、大人になってからもよいお金の習慣を保ち、金融資産を持っていることがわかっています[*3]。

さらに、生活を通してマネースキルを教えている家庭では、経済的な困難やさまざまなライフステージを耐え抜く自信とスキルを持った子どもを育てることができます。

家族の幸せのために心がけたい習慣

クレジットカードよりも現金

ポイントが貯められたり、キャッシュバックがあるクレジットカードが増え、現金よりカードを使うほうが好まれるようになりました。残念ながら、カードはお金を使いすぎたり、予算管理を難しくしたりします。幼い子どもは、魔法のカードで欲しいものは何でも買えると思ってしまうかもしれません！　子どもと買い物をするときには、ものの値段や上手なお金の使い方を伝えるため、なるべく現金を使うようにしましょう。

お金は無限ではないことを伝える

わたしたち大人は欲しいものをすべて買ってはいけないことを知っています。ところが、多くの子どもたちは、望んだおもちゃや小物のほとんどを買ってもらえるため、たまに「ノー」と言うだけで、お金の価値と予算について教えることができます。

お小遣いを渡して「予算管理」を教える

子どもにお金について理解させるため、1週間単位でお小遣いをあげましょう。使い道

は子ども自身に選ばせ、その使い方を観察して。新しい自転車などの高い買い物のためにお金をとっておくよう促したりして、予算というものを理解できるようにします。

貯金を家族のテーマにする

いずれ経済的に独立するには、お金の貯め方を学ぶ必要があります。目に見える形で貯金を理解できるように、お金を貯めるガラス瓶を用意して使い道について相談しましょう。ディズニーランドに行く、トランポリンを買うなど、家族で楽しめることがおすすめ。

お金を使ったゲームを楽しんで

家族でのゲームタイムは、楽しく身近に感じられる方法で、お金の概念について教えるのにぴったりです。定番のモノポリーや人生ゲームは、投資する、稼ぐ、予算を立てるといった概念について教えてくれます。

共感できるお金の本を読む

読書タイムに、お金に関する本を取り入れて。少し年齢が上の子どもなら、ジョージ・クレイソン著『バビロンでいちばんの大金持ち』がおすすめです。10代の子どもには、親子ともに読んで内容について話し合える、ロバート・キヨサキ著『金持ち父さん貧乏父さん』などを選んでください。

Week 24

多文化にふれ、グローバルに生きる

地球とは、巨大な宇宙の中にある、たくさんの隣人に囲まれた小さな町である。

――ロン・ガラン（アメリカの宇宙飛行士）

わたしたちは急速にグローバル化する世界で生きています。次世代の子どもたちは、これまでのどの世代よりもグローバルに暮らし、仕事をし、旅することになるでしょう。多文化経験が多い人は革新的で、独創的な問題解決能力があり、コンフリクトマネジメント（対立の解決）がうまく、不慣れな状況に順応でき、仕事でより大きな成功を収めることがわかっています［＊1、2］。

まず、母国語以外の言葉を学び、理解することで認知能力、知力、記憶力や問題解決能力が高められ、さらに、年齢による認知欠損を防げる可能性もあります［＊3］。また、第二言語を話せる子どもはテストの成績がよく、高い学業成績を収めます［＊4］。科学者たちによると、バイリンガルの人はふたつの言語を操るため、常に脳の感覚処理と感情コントロールを司る部位を使っています。その結果、脳の聴覚機能と神経ネットワークが研ぎ澄まされているのです［＊5］。

高い認知コントロール能力は、異文化経験のある人がクリエイティブな問題解決ができる理由のひとつでもあります。

たとえば、ノースウェスタン大学とインシアード（フランスを拠点とする国際的なビジネススクール）の研究者たちは、ふたつの文化を持つ人たち、あるいは海外に住んだ経験があり、母国と外国の両方の文化を理解している人たちがクリエイティブかつ革新的で、仕事で成功する確率が高いことを発見しました［＊6］。

別の調査からも、多文化経験がある人は、異文化に対してオープンで、クリエイティブな考え方を持ち、問題解決を得意とすることがわかっています［＊7］。

今、グローバル企業・多国籍企業は、採用の際、これまで以上に国際経験を求めています。2014年に国際教育交流協議会（NAFSA）が行ったアンケート調査から、アメリカに拠点を置く企業の39パーセントが、従業員の多文化スキル不足が原因で国際ビジネスの機会を逃していることがわかりました［＊8］。

子ども（そしてあなたも）、ほかの文化に対してオープンで多文化経験を持てるよう、視野を広げ、もっと世界にふれましょう。

家族の幸せのために心がけたい習慣

自分たちの伝統を大切に

自分たちの文化や伝統への理解を深めることで、ほかの文化に対する興味が刺激されます。子どもたちが伝統について興味を持つように、楽しい行事や活動を選んでみて。

第二言語にチャレンジ

子どもは3歳になれば第二言語を学べると専門家たちはいいます。家族で外国語を学んでみましょう。オンライン外国語学習プログラムならすぐに始められます。

さまざまな文化イベントを体験する

多文化フェスティバルやパーティーでは、その国や地域の食べもの、音楽、踊りや品物に出会えます。外国へ行かずとも、家族で楽しく異文化に浸れる絶好のチャンスです。

国際的な料理をつくってみて

食べることが好きな家庭なら、食卓に国際的な料理を取り入れることで、文化に対する

考え方を広げられます。家族みんなでさまざまな国の食品を扱うスーパーに出かけて材料を買うのもおすすめ。料理しながら、その国の音楽を聴くのもいいですね。

時事問題について話す

国際問題について話し合うことで、世界で起きている不公平なできごとへの理解を深めたり、外国の人々の暮らしを学んだりできます。幼い子どもの場合は、飢餓や災害救助など、理解しやすい話題を選びましょう。また、年齢が上の子どもには、戦争や人身売買などの重いテーマについても話し合ってみてください。

旅をするならグローバルに

海外旅行なら、さまざまな文化を楽しく特別な方法で経験できます。旅先では、観光地はもちろん、市場、レストランや国立公園など、地元の人がよく行く安全な場所へも出かけてみましょう。

すすんでフェアトレードの商品を買う

世界中の生産者が適正な賃金を得られるように貢献しましょう。フェアトレード商品には小冊子がついていて、作り手の住んでいる場所や適正な賃金によって家族を養うのに役立つことなどが詳しく書かれており、知識を深めるきっかけとなります。

intercourse

recognize experience

つくりあげる

difference

part3.
すこやかな体を

Week25

深くぐっすり眠る

夜に難しく感じた問題も、朝になれば眠りの効用で解決するものだ。

——ジョン・スタインベック（アメリカの小説家）

家族の健康や長生きのためには、質のいい睡眠が欠かせません。免疫システムは、寝ているあいだに体を回復させ、若返らせるからです。また、脳が新しい情報を記憶に変え、新しい神経回路をつくりあげるため、問題解決能力や創造力といった認知機能も高まります。

かつては睡眠中の脳は不活発になると考えられていましたが、その後の科学者たちの研究から、脳は起きているときよりも眠っているときのほうが活発に動いている可能性があることがわかっています［＊1］。

たったひと晩の睡眠不足でも免疫反応が下がり、炎症マーカーの数値が上がります。この数値は、翌晩ぐっすり眠ってもなかなか改善しません。慢性炎症はさまざまな疾患の原因になると考えられています［＊2］。

ところが多くの親子が睡眠不足に陥っています。２０１３年のギャラップ世論調査によると、18歳未満の子どもを持つ親はもっとも睡眠が不足し、推奨睡眠時間の最低ラインである7時間の睡眠がとれているのはわずか52パーセントでした［＊3］。

慢性的な睡眠不足が家族の健康や幸せに及ぼす影響はあなどれません。睡眠不足は子どもたちの注意力、衝動制御、行動調節、学業成績などに支障が出るという研究結果も出ています［＊4］。さらに、睡眠障害を抱える子どもの場合、将来、不安症状や抑うつ症を患う可能性も高いのです［＊5、6、7、8］。

睡眠不足に陥ると、感情のコントロールや理性的な判断がしにくくなります。睡眠不足は体の健康にも影響を及ぼし、体重の増加、代謝の低下、免疫不全にもつながります。質の悪い睡眠や睡眠不足から生じるこうした生理学的影響は、やがて高血圧、心臓麻痺、心不全、脳卒中などの内科的疾患に結びつく要因となります［＊9］。このことからも、健康を保つためには、睡眠が運動や栄養管理に劣らず重要であることがわかります。

睡眠を優先させる上で、もっとも影響力が大きいのが親です。親が自分の睡眠習慣の改善に取り組むことが、子どもに良質な睡眠をとる方法を教えるのと同じくらい重要なのです。

家族の幸せのために心がけたい習慣

睡眠のルールをつくる

眠りの専門家の中には、大人や青年の場合、午後8時から12時のあいだに就寝し、7〜9時間眠るのが理想だと唱える人もいます[*10]。子どもの場合、理想的な就寝時間は午後6時半から8時のあいだというのが定説です。小さな子どもには色や絵、音などで睡眠時間と覚醒時間をはっきり区別できるような目覚まし時計を買うのも一案です。

明るさを調節して深い眠りを

日光も人工光も、睡眠に関わるメラトニンというホルモンの生成をさまたげてしまいます。遮光ブラインドや遮光カーテンを利用して睡眠時間を確保できるようにしましょう。子どもが暗い部屋を嫌がる場合は、あたたかな色の常夜灯を選び、直接目に入らない場所に設置して。

心地よい気温を保って

睡眠中は体温調節能力が低下するので、部屋の温度を快適に保つことが大切です。複数

の研究結果から、寝室の温度は低めに、15～20度が最適とされています［＊11］。温度調節がしやすいように、子どもの寝具は何枚か重ねて使うのがおすすめです。

ホワイトノイズマシンは便利

階段がきしむ音など、ごく小さな音でも眠りがさまたげられてしまいます。集中力アップや深い睡眠に効果的なホワイトノイズマシンを使えば、睡眠をさまたげられずにすみます。ただし、音量を大きくしすぎると聴力を損なうおそれがあるので注意が必要です。

快適なパジャマで眠りにつきましょう

季節や体質に合った素材を選びましょう。暑がりなら、竹の繊維でできた寝具を選ぶと、汗を自然に逃がしてくれます。寒がりなら、フランネルの生地などを選ぶといいでしょう。あたたかい季節には、通気性がよく着心地のいい平織りのコットン素材もおすすめです。

毎日の夜の習慣をつくりあげる

夜の習慣は、日中の緊張をほぐし、眠る準備を整えるのに役立ちます。たとえば、翌日の準備や入浴、読書、軽いマッサージ、日記を書くことなど。照明を暗くしたり、静かな声で話したり、動作をゆっくり行うことで、リラックス感が増します。

就寝前に食べすぎない

寝る直前に食べすぎると、睡眠中に血糖値が急激に下がってしまいます。そのため、ストレスホルモンであるコルチゾール値が高くなり、メラトニンの分泌がさまたげられます。アルコールは睡眠障害を引き起こすため、就寝3時間前には飲酒を切り上げましょう。

自然の力で睡眠を促す

すこやかな眠りを守るために、次の方法を試してみましょう。

・**ラベンダーのエッセンシャルオイル**　ラベンダーの香りにはくつろぎと睡眠をもたらす生理学的特性があります。

・**エプソムソルトバス**　エプソムソルトに含まれるマグネシウムは、くつろぎ感をもたらし、筋肉痛を和らげてくれます。ただし5歳未満の子どもにはおすすめできません。

・**運動**　毎日規則正しく運動すると、寝つくまでの時間が短くなり、熟睡時間は長くなります［*12］。また、就寝前の運動は睡眠パターンの改善にもつながります［*13］。

ブルーライトは避けて

テレビやスマートフォンなど、ほとんどの電子機器から発せられるブルーライト。その波長は、メラトニンの生成をさまたげる力がもっとも強いのです。その影響を最小限に抑えるためにも、ブルーライトを発するものを寝室に置かないようにしましょう。

Week26

きれいな水をたっぷり飲む

この惑星に魔法があるとすれば、それは水に含まれている。

——ローレン・アイズリー（アメリカの人類学者）

水は体が正常に機能するために不可欠です。タンパク質、脂質、炭水化物と並んで、4番目の主要栄養素と考える栄養学者も多くいます。成人の場合、体重の60パーセント、幼児なら70パーセントを水が占めているのです［＊1］。脱水で体重の1～2パーセントが失われるだけで、情緒バランスや認知機能、身体能力に影響が生じます［＊2］。

水が重要であるにもかかわらず、毎年およそ7万4千人の子ども（1～18歳）が脱水症で入院しています［＊3］。小児医療専門誌『ホスピタル・ピディアトリクス』で発表された研究によると、こうした入院事例の少なくとも45パーセントは予防できるそうです。

そこで大切なのは、子どもに与える1日の水分の量を増やすことです。

水は血液量を適正に保つことで、健康的な血圧を維持し、血行を促進します。また皮膚や肺に酸素を運び、それらを柔軟で潤滑な状態に保つことによって、感染症から体を効果的に守ることができるのです。腎臓や結腸も、毒素を洗い流し、消化を助け、排泄を楽にするために水分を必要とします。

実際、便秘に悩む子どもや大人にいちばんおすすめの治療は水分の摂取量を増やすことなのです。水分が不足すると、疲労を感じたり、頭がぼんやりしたり、短期・長期記憶が損なわれたりします。また注意が散漫になったり、体温調節がうまくいかなくなったり、便秘や尿路感染症などの症状が生じたりといった問題にもつながるのです。

水を飲む習慣についても親の影響は大きいといえるでしょう。簡単にいえば、親自身がジュースやコーヒーではなく、「水」を優先すれば子どももそうするのです。

家族の幸せのために心がけたい習慣

暑い時期には多めの水分を

気温が高いときには、家族にいつもより多めに水分を摂取するよう促しましょう。

水分が不足していないかどうか確かめる目安として一般的なのが尿の色です。尿が薄い黄色なら、適切に水分補給ができています［＊4］。

水をおいしく飲むには、フレーバーウォーター

普段から水を用意し、家族全員が十分な水分を摂取できるようにしましょう。冷たい水を入れたポットを冷蔵庫に用意したり、いつでも水が飲めるように。普通の水では物足りないようなら、オレンジ、イチゴ、レモンなどの果物をざっくり刻んで加えると、ほのかな風味がついて飲みやすくなります。

野菜やフルーツで、水分の多い食事やおやつを

野菜や果物はその80パーセント以上が水分です。食事のたびに野菜や果物を出せば、おいしく食べながら水分が摂取できます。おやつにはキュウリやスイカ、ブドウなど、水分

を多く含む野菜や果物を出すようにしましょう。朝食に、スムージーを用意するのもいいですね。

脱水作用のある飲みものに気をつけて

水分補給には「純水」が理想的です。ジュースやスポーツ飲料には、人工的な調味料や保存料、甘味料が含まれています。糖分が多いので飲みすぎないようにしましょう。果汁100パーセントのジュースならビタミンやミネラルも摂取できますが、カフェインやアルコールなどには利尿作用があり、脱水気味になってしまうため気をつけましょう。脱水作用のある飲みものを飲んだら水分を補う習慣を。

脱水症の兆候を知っておきましょう

脱水症の兆候は年齢によって異なります。大人の場合は、極度の喉の渇き、排尿の回数が減る、尿の色が濃くなる、疲労、意識混濁、めまい、イライラするなどの症状が表れます。乳児や子どもの場合、泣いたときに涙が出ているか、3時間ごとにおむつが濡れているかが目安になります。また、子どもの口や舌が潤っているかどうか確かめましょう。ひどい脱水状態に陥った子どもは無気力になり、目がくぼんだり頬がこけたりします。

Week27

健康的に日の光を浴びる

わたしは太陽の下にいるときがいちばん嬉しい！
百もの花にふれ、一輪たりとも摘み取ったりしない。
——エドナ・セント・ビンセント・ミレイ（アメリカの詩人）

日焼けを繰り返すことで、皮膚がんを引き起こす危険性があることはよく知られています。そのため、日焼け対策は一般的になっていますが、実はそれが全国的なビタミン不足の原因になっているかもしれないのです。体内で十分なビタミンDをもっとも効率的に生成する方法は、素肌に日光を浴びることなのです。

ビタミンDは健康な骨をつくるのに不可欠です——ビタミンDがなければ、カルシウムは吸収されません。体内の５００を超える遺伝子はビタミンDに依存しているため、血圧や血糖値、免疫システムの調節など、生物学的プロセスで大切な役割を担う存在でもあります。

また、ビタミンDは喘息の発作を軽減することがわかっていて、気道感染のリスクを減らす効果についても研究がなされています。

さらに、さまざまな研究結果から、抑うつ症状や季節性情動障害の原因がビタミンD不足にあるのではないかとも考えられています［＊1、2］。

ビタミンD不足が、1型糖尿病、多発性硬化症、大腸がん、乳がん、関節リウマチ、エリテマトーデスなど、多くの疾患の罹患リスクや重症度と関わっていることを、医師も含めてほとんどの人が理解していません［＊3］。裏返せば、ビタミンDの血中濃度を上げることで、こうした疾患を予防できるのです。

安全に日光を浴びたり、高品質のサプリを摂取したりすれば、効果的にビタミンDの量を増やすことができます。

日光浴でビタミンDが得られるのであれば、とりすぎを心配する必要はありません。肌にはもともとビタミンDの濃度が十分な値に達すると、生成を停止する仕組みがあるからです［＊4］。

ここでは、健康的に日光を浴び、家族の血中ビタミンD濃度を上げる自然で安全な方法をご紹介します。

家族の幸せのために心がけたい習慣

真昼の太陽は避けて

ビタミンDの生成には、日差しがもっとも強くなる真昼の直射日光を浴びる必要はありません。この時間帯の日差しは強く、炎症を伴う日焼けを引き起こしやすいので、日焼け対策をするか、完全に避けることをおすすめします。

紫外線防御効果（SPF）について、知っていますか？

日焼け止めは、紫外線防御効果（SPF）に応じて分類されます。これは日焼けを起こす太陽光線（UVB）の遮断効果を表す数値です。日焼けするのに15分かかるなら、SPF10の日焼け止めを塗った場合、その10倍の時間、つまり15×10＝150分間、日光を浴びることができます。

ただし、SPFには紫外線Aから守る力は含まれていません。紫外線Aは肌のもっと深くにまで達するため、日焼け止めでさえぎることは難しいのです[＊5]。

SPF製品の上手な選び方

活動の程度や日光を浴びる時間に合った日焼け止めを選びましょう。SPF値が高い製品（50以上）だからといって油断しないで。安心して長時間日光を浴びてしまうと、健康に害が及ぶ可能性があります。それよりも、SPF値が30〜50の商品を選べば紫外線を97パーセントさえぎる効果もあります。もちろん、長時間浴びすぎないように。

日焼け止めはたっぷりと

ビタミンDの生成に必要な分だけ日光を浴びたあとは、日焼けのおそれがあるところにはまんべんなく日焼け止めを塗りましょう。つま先や耳は塗り忘れが多く、日焼けもしやすいのです。すべての部分にたっぷり塗ってください。スプレーは簡単ですが、危険な化学物質が含まれるおそれがあり、環境にもよくありません。

UVカット加工の服やサングラスもおすすめ

子どもにUVカット加工の服を着せるのもいいでしょう。UVカット加工のシャツや帽子は、大人用も子ども用もあちこちで売られています。また、目の保護も忘れてはいけません。年齢を問わず、紫外線カット効果のあるサングラスをかけることをおすすめします。

Week 28

食べものとよい関係をはぐくむ

食べものとの関係は、人生のあらゆるものと同じで、自分自身との関係を反映しているにすぎない。

——マリアン・ウィリアムソン（アメリカの著作家）

特別な日を祝ったり、友人や家族と心を通い合わせたり、伝統を称えたりと、食べものは、わたしたちの生活においてさまざまな役割を果たしています。食べものとどう関わるかが、生活を楽しむ力に大きな影響を及ぼしているのです。

食べものとの関係が良好だと、さまざまな恩恵があります。家族療法士で栄養士でもあるエリン・ザッターの研究によると、「食事に関して前向きで、柔軟な人、栄養たっぷりの食事をきちんととれる人は、ＢＭＩ値（肥満度指数）が適正で、肉体的な自己受容力が高く、医療検査の結果が良好で、睡眠をしっかりとり、活動的な傾向が強い」そうです[＊1、2]。

子どもたちの食習慣には親の食習慣が色濃く反映されます。ある研究からは、毎日野菜と果物を食べる親の子どもは、ほとんど食べない親の子どもと比べて、農産物をたくさん食べる傾向が高いことがわかっています[＊3]。

親が子どもの食習慣に悪影響を与えることもあります。摂取量を制限したり、健康的な食事をしたらごほうびを与えたりといった方法は、長期的には逆効果で、好ましくない結果をもたらすこともあるのです。

幼児に、ごほうびとして甘いお菓子を与えたら、甘いお菓子に対して強い嗜好を持つようになったという有名な研究もあります[＊4]。また、別の研究結果からは、野菜など特定のものを食べるとごほうびをもらえた子どもは、ごほうびをもらうために食べていたものを結局は好まなくなることもわかっています[＊5、6]。

とはいえ、健康的な食事を用意したり、テーブルに並べた料理から自由に選ばせたりすることはできても、子どもたちがどれをどのくらい食べるかについてはコントロールできないし、すべきではありません。子どもたちは自力で食べることを学んでいく必要があります。親が食事環境を整えれば、子どもたちは食べものや健康的な食習慣とのよい関係をはぐくんでいくのです。

親が食べものを楽しむ姿や、空腹と満腹のサインの見分け方をお手本として見せることが大切。早いうちに身につけた食習慣は青年期や大人になっても保たれるでしょう[＊7]。また、別の研究によれば、母親がダイエットをし、食べることに否定的な感情を持つ10歳の女の子の場合、ダイエットをしたり、自分の食習慣を否定的に考えたりする傾向が強くなるそうです[＊8]。

家族の幸せのために心がけたい習慣

食事の時間を楽しいひとときに

楽しい食事の時間を経験した子どもは、食事や食べもの、家族と前向きな関係を築きます。一方、食事の時間にストレスを感じると、コルチゾール（ストレスホルモン）の値が上がり、食べることを否定的にとらえるようになってしまいます。

それぞれが好きなものを

食事にはそれぞれが好きなおかずを入れるようにしましょう。子どもは親の好む料理はとらなくても、チキンはもりもり食べるかもしれません。新しい食べものをメニューに取り入れるときも、好物があればストレスを感じなくてすみます。

大皿で出せば自分で取れる

子どもの分をあらかじめ取り分けてしまうのではなく、料理を盛った大皿から自分で取らせてあげましょう。食べられる量を自分で調節することで、苦手なものも食べられるようになります。サラダや肉など、いくつかの大皿からまんべんなく取ることを習慣にしま

しょう。

食べるものや量をコントロールしないで

研究によると、食事時に母親のコントロールが強まると、子どもの食わず嫌い（新しい食べものに対する恐怖心）が強まり、長ければ2年続くこともあるそうです［＊9］。押しつけられると、空腹感や満腹感のシグナルに気づく能力が損なわれてしまいます。

「ながら食べ」はやめましょう

仕事をしたりテレビを見たりしながら食事をすると、空腹や満腹を知らせるシグナルに気づかないため食べる量が増えてしまいます。食事中は、気をそらすものを取り除いて。

五感を使って味わってみて

赤ちゃんは目や指、口、さらに鼻まで使って食べものを知ろうとしますが、五感を使って味わう方法は年齢を問わず楽しめます。香りや食感など気づいたことを子どもにたずねてみましょう。さらに一歩進んで、食べたあとにどう感じたかもたずねてみてください。

Week 29

家族みんなで体を動かす

老いて運動をしなくなるのではない――運動しなくなるから老いるのだ。

――ケネス・クーパー博士（アメリカの運動生理学者）

よく知られていることですが、健康でいるために運動は欠かせません。運動習慣がある人は、心臓病、脳卒中、うつ病、２型糖尿病、がんの発生率が低いのです［＊1］。運動はストレスを軽減し、炎症を抑えます。筋肉がインシュリンを生成せずに食べものからエネルギーを使うため、血糖値が下がります。さらに、免疫システムを強め、健康的な脳機能を保ち、強い骨と筋肉の発達や維持も助けます。

幸い、子どもはもともと活発です。ところが、研究結果が示すように、９～11歳になると身体活動は減る傾向にあります［＊2］。

運動には、思春期に関わるホルモンの急増から起こる体や心の変化を軽減する効果もあるのです。運動が健康的な体重を維持し、自尊心を高め、不安やストレスのコントロールを助け、健康的な眠りを促し、さらに若年性のうつの発生率を下げることが、多くの研究で明らかにされています［＊3、4］。

専門家が指摘しているように、この世代の子どもたちは歴史上類を見ないほどすわっている時間が長いのです！　しかし、研究結果によると、この統計値には親の影響が色濃く表れている可能性があります。ある研究では、体を動かすように働きかけ、子どもと積極的に関わる親を持つ子どもは、そうではない子どもと比べて、非常に活発になる可能性が6倍もあることがわかっています［＊5］。

体を動かすことは子どもだけでなく親自身にとってもとても効果的です。サイクリングやフィットネス教室、ランニング、ウォーキングやスイミングもおすすめです。

ちなみに健康な子どもは、学力が高い傾向にあります。これにはさまざまな要因がありますが、イリノイ大学の研究者たちが行った研究では、活動的な子どもの脳神経細胞は、活動的ではない子どもに比べて、活発であることが明らかにされています［＊6］。

家族の幸せのために心がけたい習慣

家族の時間をアクティブに

テレビを見る代わりに、楽しく体を動かしましょう。散歩をしたり、シャベルで穴を掘ったり、車を洗ったりなど、一緒に体を動かすと、子どもに自尊心が生まれます。自転車やランニングで地元を探検する計画を立てさせると、子どもは盛り上がりますよ。

スポーツの練習をする

子どもと一緒にスポーツをすると、長期的な効果が見こめます。調査結果によると、スポーツに意欲的に取り組む10歳の子どもは、近所で外遊びをする子どもよりも活動的な大人になるようです［＊7］。サッカー、バスケットボール、ドッジボールなど、ボールを使ったスポーツもおすすめです。縄跳びやトランポリンなら、脚力や体幹が鍛えられますね。

新しい運動を試す

家族で挑戦できる新しい運動を探しましょう。最近人気のボルダリングは3歳の子どもでも安全にできます。家族で新しい冒険と機会を楽しみましょう。

Week29

Week30

フルーツや野菜で食事をカラフルに

1日1個のリンゴは医者を遠ざける。

――ベンジャミン・フランクリン（アメリカの政治家・物理学者）

果物や野菜を摂取することによる健康面のメリットには十分な裏づけがあり、世界的にも認められています。新鮮な農産物はビタミンとミネラル、食物繊維、植物栄養素（ファイトケミカル）――つまり、人間をがんや糖尿病、心臓病などの病気から守ってくれる強力な化合物の宝庫なのです。

次のような野菜や果物を多く含む食事は、病気予防の効果がとくに高くなります。

・**アブラナ科の野菜（ブロッコリーなど）**

有害物質の解毒に欠かせない硫黄含有化合物、グルコシノレートを多く含みます。膀胱、乳房、結腸、胃腸、肺、卵巣、膵臓、前立腺、肝臓のがんを防ぎます。

・**ベリー類（イチゴやブルーベリーなど）**

ビタミンC、ポリフェノール、フラボノイドなどの抗酸化物質が豊富で、酸化ストレスや炎症を抑えます。また、血圧を下げ、血管の弾力性を高める働きをする化合物、アントシアニンも多く含みます。

・酸化窒素を多く含む野菜（ビーツなど）

強力な血管拡張物質である酸化窒素の働きで、血圧を下げ、血管機能を高める効果があることが明らかになっています［*1、2、3、4］。

子どもにとって、もっとも効果的なのは、親がお手本を示すことです。小さな子どもは、ほうれん草のような野菜を、キュウリやサツマイモほどは喜ばないかもしれませんが、さまざまな食べものにふれさせると好き嫌いが減るという調査結果もあります。

親が野菜や果物をたくさん食べ、おいしく調理している家庭では、子どももたくさん食べているのです。

家族の幸せのために心がけたい習慣

お皿の半分を野菜とフルーツに

食事のたびに、お皿の半分に野菜や果物をのせる、というルールをつくりましょう。子どものお弁当を用意するときも、このルールなら簡単です。

野菜たっぷりスムージー&アイスキャンディ

砂糖さえ加えなければ、野菜や果物でつくるスムージーは非常に栄養価が高いのです。バイタミックスなどの高速ブレンダーでなくてもかまいません。まずは葉物野菜1カップ、水1カップ、果物1と1／2カップというベストな配合から始めて。最初に葉物野菜と水を混ぜます。それから生あるいは冷凍した果物を加えて甘みをつけましょう。スムージーを型に入れて凍らせれば子どもの大好物に！　3～4時間あればできあがり、おやつやデザートにぴったりです。

野菜のローストは最高の風味

カットした野菜をボウルに入れて、エキストラバージンオリーブオイルを軽く振りか

け、全体に油がからむまで混ぜます。火の通りが均等になるように、間隔を十分あけて野菜を天板に広げます。野菜の種類によりますが、２２０度のオーブンで15～45分ローストすると香ばしくできあがります（15分ごとに焼け具合を確認しましょう）。

蒸し野菜は低カロリー

蒸し野菜はドレッシングであえると食べやすくなります。ドレッシングはハチミツとマスタード、レモンとエキストラバージンオリーブオイルなどの簡単な組み合わせがおすすめ。

ピクルスで発酵の力を

ピクルスはどんな野菜でもつくれます！　酢をベースにした野菜のピクルスがもっとも一般的なのは常温保存できるからですが、発酵型のピクルスは、発酵の過程でプロビオティックと呼ばれる善玉菌が増殖するため栄養価がもっとも高くなります。

フルーツは極上のデザート

旬の果物には自然の甘みがあるので、デザートに最適です。新鮮な果物をピックで刺せば、さらに楽しく食べられますね。果物にシナモンとハチミツをかけてローストすると、風味豊かなデザートになります。

Week31

地産地消を心がける

わたしたちは、文化や農業とつながる新しい形で、子どもを食べものと関わらせなければいけない。

——アリス・ウォーターズ（アメリカの料理家）

食料品店に並んでいる農産物の多くは、普通、何千キロも離れたところから、ときには大陸をいくつも越えて運ばれてきて、それからあなたの手元に届きます。こうした果物や野菜は食べごろになるずっと前に収穫されているのです。

悲しいことに、このせいで栄養面にしわ寄せがいってしまうこともあります。ある研究結果によると、ブロッコリーは収穫後に5日間冷蔵保存するだけで、ビタミンCの50パーセントが失われ、ほうれん草は明るい場所で8日間保存するとルテインの22パーセントが失われてしまうそうです［＊1］。

ですが、地元で育った作物を選べば、新鮮で栄養価の高いものを食べることができます。しかも、地元の経済や雇用に刺激を与えることにもなります。

家庭菜園や市民農園を利用するのもおすすめです。作物を育てることで身体活動が増え、根気づよくなって、ものを育てる才能や責任感をはぐくむ機会が得られます。

家族の幸せのために心がけたい習慣

地産地消を意識する

近所のレストランや、学校・病院の食堂などを通じて、地元の食材を消費する活動です。地元の新鮮で安全な食材を扱っているスーパーやレストランを活用しましょう。

市民農園に参加してみて

市民農園ではそれぞれ小さな区画を割り当てられ、そこで自分の好きな作物を育てることができます。ほかの人の菜園の世話をしたり、収穫したものを分け合ったりなど、メンバー同士での助け合いが活発で、忙しい家族でも実践しやすいのが特徴です。

鉢植えの野菜やハーブを育てましょう

もっとも簡単な方法は、軒先やベランダで植木鉢を使って野菜やハーブ、果物を育てることです。この場合、コンテナ栽培に最適な品種を選ぶようにしましょう。

屋内でも育てられる

日当たりのいい窓辺があるなら、おいしい野菜や果物、ハーブを屋内で育てられます。屋内で栽培できる作物としては、レモン、マンダリンオレンジ、トマト、パプリカ、バジル、タイム、ローズマリーなどが挙げられます。

家庭菜園にチャレンジ！

自宅の庭に菜園をつくるのもおすすめです。日当たりがよく（1日に最低でも6時間）、十分な広さの土地があり、栄養たっぷりの土があり、水はけがいい場所に、種をまくか苗を植えます（移植ともいいます）。

自分で育てた作物はおいしく感じるので、簡単に育てられる野菜のリストから、子どもたちに選ばせてあげて。種をまいたり水をやったり雑草を抜いたりという定期的な手入れもさせましょう。

Week32

自然の中でのんびり過ごす

自然を奥深くまで見つめれば、あらゆることへの理解が深まる。

――アルベルト・アインシュタイン（ドイツ生まれの物理学者）

自然の中で過ごすことは、家族の健康と幸せを高めるいちばんの方法かもしれません。数多くの研究が示しているように、自然の多い環境や緑地にふれる機会の多い大人は、ストレスや不安感、抑うつ感が少なく、さらに循環代謝疾患が少ないなど、心の健康と幸せの度合いが高いのです［＊1、2、3］。

ある研究では、被験者に自然環境か都市環境のどちらか一方を、50分間歩いてもらいました。その前後に行った心理テストによると、自然環境を歩いた被験者は作業記憶が向上し、不安感や、不安を引き起こすようなことをくよくよ考えることが減ったそうです［＊4］。

同じように、自然とふれあうと、子どもの心と体の健康が高まり、問題解決や知的認識力、根気、集中力が著しく向上することが、研究結果から明らかになっています［＊5］。

自然豊かな環境は、とくに注意欠陥多動障害（ＡＤＨＤ）を抱える子どもには効果があります。ある研究では、自然豊かな環境で過ごすことでその症状が3分の1に減りました

［＊6］。また、自然は創造性と回復力を高めます。たとえば、泥や砂で遊んだり、森で遊んだりすると、人工の遊び場で遊んだときと比べて、子どもははるかにクリエイティブになり、遊び方の幅も広がります。さらに、自然豊かな環境では、子どもたちは判断力が試される新しい経験をし、自尊心や自信を持てるようになります。

屋外で過ごす時間はかつてないほど少なくなっています。コミュニケーション・テクノロジー・マネジメント協会によると、アメリカ人は1960年と比べて、1日にメディアに費やす時間が2倍になっているそうです［＊7］。

都市では、緑地だった場所が住宅や商業施設に変わり、自然環境にふれる機会が減ってしまいました。自然にふれる機会がないと、子どもの場合はとくに健康の悪化に結びつくとする調査結果も増えています。著述家で、「子どもと自然のネットワーク」創設者でもあるリチャード・ルーブは、この問題を「自然体験不足障害」と呼んでいます。

自然豊かな環境では、テレビや無線ネットワーク、日々の喧噪から解放され、家族はのんびりとつながり、一緒に探索できます。自然に接することで、自然に対する感謝の気持ちや、社会を大切にするというもっと大きな姿勢を育てることにもつながります。

家族の幸せのために心がけたい習慣

近所の公園や森を散策する

交通量の多い道沿いや都会で暮らしているなら、木が多く、車の少ない公園を散歩することで、家族はより高い生理学的効果が得られます。人口調査からは、木が多い地域に住んでいる人は、心も体もより健康だということがわかっています［＊8］。

家族や友人とキャンプに行く

テントや山小屋で眠ることは、家族にとって自然に浸る機会になります。キャンプをすれば、野鳥観察やハイキング、星空観察など、自然に親しむ活動をたくさん楽しめます。

サマーキャンプで自然に親しむ機会を

最近では、夏休み中の自然体験キャンプのプログラムが増えています。サマーキャンプでは、さまざまな年齢の子ども向けに、自然の中で成長し、学ぶ機会を提供しており、普段自然にふれる機会が少ない子どもにぴったりです。

美しい水辺で楽しむ

湖や川、海辺なら、自然の美しさを満喫できます。カヤックやカヌー、スタンドアップパドル・サーフィンは初心者でも楽しめるスポーツで、必要な装備はレンタルも可能です。小さな子どものいる家庭でも、泳ぎや釣りを選べば、自然の水辺を楽しむことができます。

ウィンター・スポーツもおすすめ

クロスカントリーやスノートレッキング、そり遊びなど、自然の中で行う冬の活動のほとんどは、なんらかの装備が必要ですが、冬ならではのすばらしい体験ができます。厚着をして、家族と一緒に自然いっぱいのワンダーランドに浸りましょう。

Week33

穀物を賢く選ぶ

虎穴に入らずんば虎児を得ずで、
ときには性分に合わないこともやらなければいけない。

――ガース・ブルックス（アメリカのカントリー歌手）

全粒穀物（ぜんりゅうこくもつ）は健康的な食事の基盤です。全粒穀物には食べられる部分が3つあります――ふすまと胚芽、それに胚乳です。

ふすまは繊維質、ビタミンB群、抗酸化物質、それに鉄や亜鉛などのミネラルが豊富です。胚芽は健康によい脂質、ビタミンE、ビタミンB群、抗酸化物質を補ってくれます。中心部にあるデンプン質の胚乳には、炭水化物やいくつかのタンパク質を除くと、ほとんど栄養はありません。

精製穀物は精白する過程でふすまや胚芽が取り除かれてしまい、胚乳しか残りません。結果的に、繊維質や健康によい脂質が欠けていて、ビタミンやミネラル類もほとんど含まれないのです。つまり、精製穀物は栄養豊富な食品とはいえません。消化を遅らせるふすまや胚芽がないため、デンプン質の胚乳はあっという間にブドウ糖に変わり、血糖値を急上昇させ、その後、急降下させます――これによって、糖分や精製穀物をもっと食べたいという飢餓感や欲求が生まれてしまうのです。

全粒穀物が精製穀物よりも健康によい理由はたくさんありますが、そのひとつは血糖値の変動が小さいことです。グリセミック指数【GI値。血糖値の上昇率を表す指標】は、体が炭水化物に富んだ食品をグルコースに変える速さを1~100の数値で表したもので、数値が高ければ、より速く有害な影響があることを示します。

全粒穀物（とくにグルテンの入っていないもの）は、成長期の子どもにとって数多くの健康促進効果があるのです。

70万人以上を調査分析した結果、1日に4カップ（70グラムまで）の全粒穀物を食べた人は、ほとんど、あるいはまったく食べなかった人と比べて、循環器疾患やがんによる死亡リスクが約20パーセント低いことがわかりました[＊1]。

さらに、精製穀物から全粒穀物に切り替えると、糖尿病のリスクが低くなります。16万1000人の女性の健康習慣と食習慣を12~18年にわたって評価した別の研究からは、全粒穀物を1日に2カップ食べるごとに、2型糖尿病のリスクが21パーセント減少することとの関連が明らかになっています[＊2]。

全粒穀物を多く食べることでお通じが楽になり、体内から毒素が取り除かれ、免疫機能を高めることにつながります。

家族の幸せのために心がけたい習慣

まずは朝食から変えてみて

精製穀物は朝食（シリアルやパンなど）で摂取することが多いので、それを全粒穀物に切り替えれば大きな効果が得られます。甘いシリアルやパンは、成分表示を確認し、甘味料や健康に悪い添加物を避けましょう。

主食を全粒穀物にグレードアップする

ゆっくり変えていくことで、全粒穀物に慣れましょう。主食がパンや白米なら、家族にも試食してもらい、おいしい全粒粉パンや玄米を探して慣れていきましょう。

パンやパスタを全粒粉のものに

市販のパンのほとんどは精白小麦粉でできています。全粒粉100パーセントの商品を探しましょう。「小麦粉」とか「無漂白小麦粉」という表示は全粒穀物ではありません。

幸い、最近では全粒粉のパスタを手に入れるのは難しくありません。全粒粉パスタは精白粉のパスタよりも味が濃くて歯ごたえもあり、ブランドによって味も火の通り方も変わ

ります。さまざまなブランドや調理時間を試して、お気に入りを見つけましょう。

家庭でパンを焼く

精製穀物を全粒穀物に切り替えた場合、パンを焼くのはやっかいかもしれません。全粒粉は精白小麦粉よりも味が濃いからです。クッキーやパンケーキを焼くときに、精白小麦粉の半分を全粒粉に代えるところから始めてもいいでしょう。全粒粉やアーモンドプードルなどの代替粉を使う料理の本やオンライン上のレシピを探してみましょう。

人によってはグルテンフリーを検討する

２０１６年に、小麦に含まれるアミラーゼ＝トリプシンインヒビター（ＡＴＩｓ）と呼ばれる非グルテンタンパク質群が、胃腸だけでなく体全体で免疫反応を引き起こすことが明らかになりました。なかでも、多発硬化症、喘息、関節リウマチなどの炎症を悪化させる可能性があります［＊3、4、5］。もし家族の誰かが炎症を起こしている場合には、グルテンフリーの全粒穀物だけを選ぶようにしましょう。

Week34

「肉」の安全性に意識を向ける

工場飼育で行われていることを知ったら、その子は二度と肉に手をつけないだろう。

——ジェイムズ・クロムウェル（アメリカの俳優）

食卓に欠かせない「肉」がどこから供給されるかは、健康にとてつもなく大きな影響を及ぼします。たとえば、アメリカ国内で生産される豚肉の大半は、1万頭以上の豚がいる豚飼養施設から出荷されます［＊1］。

大量飼育が行われている工場式畜産場は面積がせまく、動物たちは檻に閉じこめられ、歩きまわったり、屋外で草を食んだりという普通の活動をする機会がありません。

それどころか、できるだけコストをかけずに成長を早めるようつくられた動物飼料を食べさせられていて、抗生物質、ヒ素を含む薬剤、動物の副産物などの有害な成分が含まれていることが多いのです［＊2、3］。さらに、ホルモン剤や抗生物質が日常的に投与されてもいます。これは過密な飼育環境や、死んだ動物や排泄物にふれたことから起こる感染症の治療や予防のためでもあります。

工場飼育の肉や卵を食べることで、あなたと家族はさまざまな健康リスクにさらされます。調査によれば、乳がんやDNA損傷のリスクの増加は、ウシ科の肉やその加工品に含まれるホルモン剤の摂取と関連があることが明らかになっています――この調査は、1999年と2002年に行われ、ヨーロッパではアメリカ産のほとんどの牛肉製品の輸入が禁止されました［＊4］。

また、肉に含まれる抗生物質は少量であっても、人間がさらされると腸内細菌を変化させ、体重増加や肥満を引き起こすとする研究結果も増えてきています［＊5］。

工場飼育の肉は牧草飼育（グラスフェッド）（自然の環境で放牧され、牧草だけを食べて育てる方式）の肉と比べると栄養面で劣ります。これは十分な運動ができないため、そして工場飼育の飼料に含まれる栄養価が低いためです。工場飼育の肉と比べて、牧草飼育の牛肉に含まれるオメガ3脂肪酸は2倍にのぼり、飽和脂肪酸ははるかに少ないのです。

また、牧草飼育のほうが消費者にとって安全だと思われるのは、平飼いの養鶏場のサルモネラ菌レベルが驚くほど低く、牧草飼育の牛の場合も大腸菌レベルがかなり低いという調査結果が出ているからです［＊6、7］。

家族の幸せのために心がけたい習慣

牛乳とバターの選び方

牛乳とバターは有機飼料による飼育のものを選びましょう。牧草飼育の乳製品は高価ですが、有益なオメガ3脂肪酸が多く含まれています。

チーズにも気をつけて

成長ホルモン剤の摂取を避けるために、チーズも有機飼料による飼育のものを選びましょう。成長ホルモンが禁じられているヨーロッパかカナダから輸入したチーズは安全です。

加工肉は避けましょう

市販のハムやソーセージは健康に悪い添加物を非常に多く含んでいます。子どもは加工肉を好みますが、なるべく与えないようにするか、有機飼育や硝酸塩無添加の製品を選びましょう。

Week35

プラスチック製品に注意する

われわれ人間だけが、自然が消化できないゴミをつくる。
——チャールズ・ムーア（アメリカの海洋学者）

プラスチックは、車の部品から電化製品、食品のパッケージから家具に至るまで、あらゆるものに使われており、避けることは不可能です。プラスチックがなければ、医療機器をはじめ、テクノロジーの進歩はなかったでしょう。ところが、時間の経過とともにプラスチックへの根深い依存には支払うべき代償があることが明らかになってきたのです。

プラスチックの輪にはまった鳥や、ビニール袋に覆われた海洋生物の画像を見ると、プラスチックが環境に悪い影響を及ぼしていることを、誰もが確信するでしょう。しかし、人間がプラスチックに含まれる化学物質にさらされることは、さらに厄介な問題です。プラスチックは時間とともに分解されて食品や飲みものに放出され、その化学物質が皮膚から吸収されます。また、空気中に放出された化学物質は簡単に吸いこまれてしまうため、体に害を及ぼすのです。

たとえば、プラスチックを固めるために使われる化学物質ビスフェノールA（BPA）が、ホルモンをかく乱し、不妊や、乳がん、生殖器系のがん、糖尿病、思春期早発症、また子どもの行動変化と結びつくことを示す証拠はたくさんあります。

フタル酸エステル類はまた別の化学物質で、プラスチックを柔軟にするための結合剤として使われています。フタル酸エステル類はホルモンをかく乱し、女子の思春期早発症、不妊や男子の精子の質の低下、精巣形成不全など、男性の生殖器系の問題と結びつける調査結果もあります［＊1、2］。

フタル酸エステル類の中には、子ども用品への使用が禁じられているものもありますが、食品のパッケージには使われています。

プラスチック製品を減らそうとする取り組みは今や世界規模に及んでいます。このような意識を持つ家庭で育つ子どもはプラスチック問題に関心を持ち、自分や家族が有害な化学物質にさらされないように注意するようになるでしょう。

家族の幸せのために心がけたい習慣

保存容器をグレードアップする

プラスチック製の保存容器は、ホルモンかく乱物質であるエストロゲン様化学物質を放出します。BPAフリーの水筒や哺乳瓶を含むほとんどの製品が、マイクロ波や熱湯、紫外線にさらされたあとに、エストロゲン様化学物質を放出することがわかりました[＊3]。

なるべくプラスチック製品を避け、次のような素材のものに替えましょう。

・**ガラス**　プラスチックと違って化学物質の浸出の危険がありません。

・**ステンレス製品**　断熱加工されていれば中身を保温・保冷できるというメリットも。

・**紙袋**　おやつやサンドイッチを包むのには、無漂白のパーチメント紙製の袋がおすすめ。

ビニール製のパッケージを避ける

市販の食品のビニール包装は避けられませんが、購入後に食品をガラス容器に移し、化学物質によるリスクを減らしましょう。コロンビア大学のロビン・ワイアット教授（環境保健科学）によると、「プラスチックに含まれる化学物質は時間とともに食品に移るので、ビニール包装されたものでも、保存容器を替えることで接触の危険を減らせる」のです[＊4]。

木製のおもちゃなら安心

乳幼児はおもちゃ（そしてあらゆるもの！）を口に入れることで世界を探求するので、木製のおもちゃを与えるのがいちばん安全です。有害な原料を使わないと明言しているメーカーを選びましょう。

毒性の少ない調理器具を

焦げつき防止加工のフライパンに使われているプラスチック原料のテフロンには、もともとC8と呼ばれる有害な発がん性物質が含まれます。メーカーへの巨額の罰金と長期にわたる法廷闘争ののちに、C8は世界中で禁止されました［＊5］。

焦げつき防止加工の調理器具で、C8の代わりに使われるようになった化学物質は新しいもので、安全性についてはまだ確証がありません。ステンレス、鉄、セラミック、ホーローなど、毒性のない調理器具を使いましょう。

缶に含まれるBPAを避ける

前述のように、内分泌かく乱物質だと立証されているBPAは食品缶の内側に使われていることもあります。缶詰食品にBPAが使われているかどうか疑わしいときには、ガラス瓶入りの食品か冷凍食品を選びましょう。

Week36

砂糖を控える

甘いものに対する欲望とは、愛、または「甘み」への憧れである。

——マリオン・ウッドマン（カナダの精神分析学者）

0歳の赤ちゃんの頃から、生き残りは人間が生まれながらに持つ砂糖への欲求にかかっています。なぜなら、母乳はとても甘いからです。なんと、たった1カップの母乳に、缶入り炭酸飲料の半量の糖分が含まれているのです［＊1］。

砂糖への執着は健康にさまざまな被害をもたらしています。糖の過剰摂取が体重増加、高血圧、高コレステロール、糖尿病、脳卒中、がん、気分障害、喘息、胆石などと関係していることがわかっているのです［＊2、3、4、5］。

なお、アメリカの若年層における高いコレステロール値、肝炎や2型糖尿病などの有病率は増加傾向にあります［＊6］。子どもは、砂糖が多く含まれるスナック菓子を食べると元気いっぱいになります。なぜなら、砂糖がアドレナリンを上昇させるからです。

ある調査によると、砂糖が多く含まれる朝食をとる子どもは、行動や集中力に関する問題を抱えやすいことがわかりました。別の調査では、精製糖を多く摂取する若者や子どもは、ある脳タンパクが不足していることが判明しました。これはうつ病リスクの増加に関連しているとされています[*7、8]。さらに、砂糖は免疫機能も低下させ、炎症を引き起こし、さまざまな病気や症状の原因になります。

人の細胞はすべて、ブドウ糖（砂糖）をエネルギー源とします。また、砂糖が細胞に届けられるには、砂糖の摂取時にインシュリンが上昇する必要があります。ところが、慢性的に必要以上の砂糖をとっていると、過剰に分泌されたインシュリンがトリグリセリドへと変わり、脂肪として蓄えられてしまうのです。

さらに、いずれ細胞はインシュリンに反応しなくなり、それによってインシュリン耐性や慢性的高血糖が起こります。わたしたちは砂糖そのものを食べすぎていなくても、加工食品にひそむ添加糖類を過剰摂取しているそうです[*9]。

アメリカ心臓協会（ＡＨＡ）は、2～18歳の子どもは1日小さじ6杯（25グラム）以上の添加糖類を摂取しないよう呼びかけています。さらに、成人女性では1日小さじ6杯以上、男性では小さじ9杯以上は摂取すべきではないとしています[*10]。

子どもの頃の食習慣は大人になっても変わらないため、家族みんなの砂糖の摂取量を見直すことで長期的な健康効果が得られます[*11]

家族の幸せのために心がけたい習慣

ラベルの原材料表示に注目して

食品や飲料のパッケージについている栄養表示ラベルをチェックして、記載されている甘味料の種類ができるだけ少ない（理想的にはゼロのもの）ものを選びましょう。

砂糖を食べたい衝動を抑える

1500年代のヨーロッパでは薬剤師しか扱うことが許されなかった砂糖は、コカインなどの麻薬以上に脳が中毒に陥りやすいことがわかっています[＊12、13]。砂糖への欲求を抑えるためには、バランスのとれた食事、質の高い睡眠、砂糖そのものの摂取を減らすなどの取り組みが必要です[＊14]。

飲料や食品にひそむ悪者

「健康によい」といわれるものにも砂糖や人工甘味料がたくさん使われています。

・フルーツジュース　果汁100パーセントと表示されていても、炭酸飲料と同量の砂糖が含まれている場合がほとんどです。

・**スポーツ飲料**　スポーツ飲料には、人工甘味料がたっぷり入っています。

・**コーヒー飲料**　お気に入りのカフェの甘いコーヒー飲料には、砂糖が60グラムも入っていることも！　シロップなどを加えるのはやめましょう。

・**味つきヨーグルト**　添加糖類もたくさん含まれています。人気メーカーの商品には、25グラム以上の砂糖が入っているものもあるのです！

・**調味料**　市販のケチャップやバーベキューソース、ドレッシングには砂糖がたっぷり含まれています。ちなみに大さじ1杯分のケチャップは砂糖5グラムに相当します。

・**プロテインバー**　健康的といわれるプロテインバーにも砂糖がたくさん入っています。

健康的な代用品を見つけましょう

スーパーの自然食品やオーガニック食品コーナーには、健康によいものが多く並んでいます。それでも、念のために栄養表示ラベルを確認することが重要です。

適量を理解する

砂糖が入っている食べものをすべて制限すると、喪失感が生まれ、それらの食べものがより恋しくなります。絶対にゆずれない大好物に関しては、頻度や量を具体的に設定しましょう。たとえば、毎日のアイスクリームをやめ、週に1回だけと決めるといいですね。

Week37

週に3回、魚を食べる

腕のいい料理人の手にかかれば、魚は無限の味覚の喜びとなります。

——ジャン・アンテルム・ブリア＝サヴァラン（食通で有名なフランスの法律家）

魚は、飽和脂肪酸が少なく、ビタミンB12とD、セレン、カリウム、マグネシウムやカルシウムなどの大切な栄養素を含む良質のタンパク質です。

さらに重要なのが、魚にはオメガ3脂肪酸が多く含まれている点でしょう。

オメガ3脂肪酸は、血栓リスクやトリグリセリド値を下げ、血管内のプラークの形成を遅らせ、動脈の弾力性を増し、さらには炎症を抑えることで心臓の状態を改善します。また、同じように、血流をよくし、炎症を抑え、アルツハイマー病の主な原因となるタンパク質の凝集を減らすことから、脳にもよいことが認められています。

脳機能においては、とくに認知症、うつ病、認知低下のリスクを下げ、集中力と記憶力の向上に役立ちます［*1、2］。

これらの重要な脂肪酸は体内でつくられないため、食事で補う必要があります。クルミや亜麻仁の種など多くの植物性食物は、ＡＬＡ（α-リノレン酸）と呼ばれるオメガ３を含んでいます。

ところがオメガ３による健康効果を得るには、体がＡＬＡを、ＤＨＡ（ドコサヘキサエン酸）やＥＰＡ（エイコサペンタエン酸）という長鎖脂肪酸に変換する必要があるのです。ただし、そのプロセスは非効率的であるだけでなく、体にとって十分な量のＤＨＡとＥＰＡをつくれません。幸いにも、魚にはＤＨＡとＥＰＡの両方が含まれています。

要するに、魚に含まれるオメガ３脂肪酸はあなたの家族の健康と幸せのためには必要不可欠なのです。

家族の幸せのために心がけたい習慣

養殖魚と天然魚、どっちがいい？

研究によると、養殖魚は脂肪が多く、ポリ塩化ビフェニル（ＰＣＢ）、殺虫剤や発がん性化学物質など、魚の脂肪の中に蓄積する有毒な汚染物質をより高濃度で含んでいることがわかりました［＊3］。一方、天然魚は抗生物質を与えられていません。有害な化学物質を避けるためにも天然魚を選びましょう。

オメガ3を多く含む魚を食べましょう

脂肪が多い天然魚――サケ、イワシ、アンチョビなど――は水銀の含有量が少なく、心臓や脳の働きをよくするオメガ3必須脂肪酸を多く含んでいます。

水銀の怖さを知っていますか？

水銀は天然に存在する化学物質で、廃棄物として空気中に放出されます。そして、魚が生息する海や川に蓄積されることから、ほとんどすべての魚と海産物に少量の水銀が含まれています。寿命が長い大型の捕食魚は、含まれる水銀の量が格段に多くなります。

水銀は人間、とくに発育中の胎児にとって有害です。ある調査によると、血中の水銀レベルがもっとも高い妊婦が出産した赤ちゃんは、３歳になったときに測定した発達レベルがもっとも低かったといいます［＊4］。

また、水銀を多く含む魚を食べすぎると、中枢神経系を損傷し、それによって記憶力や集中力の低下、頭痛、倦怠感などたくさんの問題を引き起こす可能性があります。とくに妊娠中は、水銀の含有量がなるべく少ないものを選びましょう［＊5］。

Week38

食品添加物を避ける

ひいおばあちゃんが食べものと認識できないものは食べないようにしましょう。
――マイケル・ポーラン（アメリカのジャーナリスト）

加工食品やインスタント食品の大半は、保存のため、あるいは見た目や風味をよくするために添加物が入っています。残念ながら、一般的に使われている添加物には、ホルモン値を乱したり、がんや炎症を誘発したり、気分に影響を与えたり、発達遅延を引き起こしたりするものがあることを示す証拠が続々と出てきています［＊1］。

たとえば、ポテトチップ、焼き菓子やナッツなどに含まれる脂質の酸化を防ぐために使われる添加物、ブチルヒドロキシアニソール（ＢＨＡ）は、米国国家毒性プログラムによって、発がん性物質であるおそれが高いとされています。動物実験からは、ＢＨＡが生殖器に害を及ぼし、ホルモン値を乱すこともわかりました［＊2］。

また、焼き菓子などに保存料として入っているプロピルパラベンという添加物は、テストステロン値を下げ、乳がん細胞の成長を促進し、女性の不妊症に関係があるといわれています［＊3、4、5］。

米国小児科学会（ＡＡＰ）は、現在、人工着色料や安息香酸ナトリウムといった食品や薬によく使われる保存料が、子どもの多動性の原因となることを認めています。

実は、ＡＡＰは長年、添加物と子どもの行動との関連性を疑問視してきました。

ところが、２００８年にボストン小児病院で発達行動小児科学の理事を務めるアリソン・シェーンバルド医学博士がＡＡＰを代表して発表した科学レビューで、ＡＡＰがデータに下した当初の評価は間違っていたと述べたのです。

今では、ＡＡＰも神経行動毒性の原因は、広く使われている食品添加物だという証拠が豊富にあることを認めています［＊６］。

自然由来の食べものには、体が病気や感染症と闘ったり、ホルモンのバランスをとったりするためのエネルギーとして必要なビタミン、ミネラル、抗酸化物質や多くの栄養素が多く含まれています。本来、不要であるはずの食品添加物は、あなたと家族の健康をありとあらゆる方法で脅かしつづけているのです。

家族の幸せのために心がけたい習慣

自然食品を買う習慣を

自然食品とは、果物、野菜、豆、ナッツ、全粒穀物、肉、海産物、コールドプレス（低温圧搾）製法でつくられた植物油など、加工せずに直接つくられる食べものをいいます。自然食品をたくさん食べるほど、食品添加物や保存料の摂取量を減らせるでしょう。

表示ラベルをよくチェック

添加物が入っていない食べものを探すには原材料表示を見ましょう。もし知らない原材料名があれば、添加物である可能性が高いのです。聞いたことのない原材料名がたくさん並ぶ食品は選ばないようにしましょう。

外食での心得

レストランでは、新鮮で調理法が単純そうなメニューを選びましょう。たとえば、肉や魚のグリル、野菜のロースト、ドレッシングのかかっていないサラダなどです。ソーセージやチキンナゲットなどの加工肉は避けましょう。

Week 39

健康によい油をとる

わたしたちの健康を奪い、ウエストラインを破壊する真の悪者は、脂質ではなく砂糖なのです。

――マーク・ハイマン（アメリカの医師）

長い間、脂肪は病気の源であるとされてきました。最近の研究によって、脂肪は健康に悪いという神話はくつがえされたにもかかわらず、今なお低脂質信奉がアメリカの食習慣を苦しめています。実際には、脂肪は健康や多くの生理的機能に欠かせません。

脂肪は体を動かすエネルギー源といえるでしょう。脂溶性のビタミンA、D、EとKを吸収し、消化器官から体中の細胞へと送るのです。脂肪は膜をつくることによって、細胞を守り、流動性と柔軟性を高めます。

とはいえ、どの脂肪も同じというわけではありません。食品業界が生み出した、多くの加工食品に含まれるトランス脂肪酸は心疾患の原因となるため、避ける必要があります。ですが、オメガ3を含む一価不飽和脂肪酸や多価不飽和脂肪酸などは健康によい脂肪なのです。

残念ながら、加工食品やインスタント食品が多い食生活では、健康によい脂肪が不足しています。これらは価格が安く、常温保存が可能で不健康な脂肪が含まれているのが普通です。子ども向けの商品でも同じです。

また、市販のお弁当にはコーン油、大豆油、ベニバナ油やヒマワリ油といった健康によくないオメガ6が多く含まれた油がたっぷり入っているので要注意です。

加工方法によって油の健康効果は変わります。多くの油は、超高温の熱、あるいは熱とヘキサンという化学物質を使って精製されています。熱は油の風味、栄養価や色を損ね、大量のヘキサンは健康にとって有害です。

ですが、未精製の油は栄養素が多く含まれ、本来の風味が残っています。コールドプレス（低温圧搾）製法でつくられる油は、化学処理をいっさいせずに摂氏30度以下の低温でナッツや種を砕いて抽出されます。コールドプレス製法でつくられた未精製の商品を買うようにしましょう。

家族の幸せのために心がけたい習慣

体によい脂肪を知ろう

・一価不飽和脂肪酸

オリーブオイル、アボカドやナッツに入っているこのタイプの脂肪は、心臓と脳によいだけでなく、体の血糖バランス調節機能も高めてくれます。

・多価不飽和脂肪酸

主にナッツなどの植物性食物に含まれるこれらの脂肪は、血管狭窄（きょうさく）や血液の凝固を抑え、免疫系の情報伝達に欠かせない物質の前駆体です。食事で摂取したい重要な多価不飽和脂肪は次のふたつです。

・オメガ3脂肪酸

抗炎症免疫反応があります。とくにＤＨＡやＥＰＡと呼ばれる活性型のオメガ3脂肪酸は、血流を改善したり、タンパク質凝固を阻止したりすることで、心臓と脳の状態を向上させることがわかっています。

・オメガ6脂肪酸

健康に必要ではありますが、炎症を促進する免疫反応をも引き起こします［＊1］。オメガ6が豊富に含まれた自然食品には健康を守る効果があり、マグネシウムやビタミンEなどの重要な栄養素も入っています［＊2］。ところが、これらの食品から抽出された油（ヒマワリ油など）は化学的に不安定で、熱や空気にふれるだけで簡単に酸化してしまいます。酸化した脂肪は、動脈に病変を生じさせ、慢性炎症の原因となり、さまざまな病気を引き起こすのです。

・飽和脂肪酸

このタイプの脂肪は、かつていわれていたような心疾患関係との関連性はありません。飽和脂肪はＨＤＬ（体を守る善玉コレステロール）の増加とトリグリセリドの減少に貢献し、動脈壁を傷つけたり、心臓発作を引き起こしたりしにくいＬＤＬコレステロール粒子をつくりだします［＊3、4、5、6、7］。

脂肪が多く含まれるフルーツを

アボカドやオリーブは一価不飽和脂肪酸がたっぷり入ったフルーツです。オリーブはそのまま、あるいは魚、キャセロール、サラダや地中海料理に添えて食べられます。アボカドはスムージー、サラダやグアカモレ、クリーム系のソースにもとてもよく合います。

なるべく減らしたい4つの油

コーン油、大豆油、ヒマワリ油、ベニバナ油は減らしましょう。オメガ6が多いこれらの油は、高度に精製されている場合が多く、状態が不安定ですぐに酸化してしまいます。

どんな油がおすすめ？

最近人気のココナツオイルは飽和脂肪酸ですが、抗炎症化合物のラウリン酸を多く含んでいるため、ほかの脂肪よりずっと早くエネルギーとして使われます。アボカドオイルは癖が少なく、使いやすいのですが、ほかの油より高価です。エキストラバージンオリーブオイルは風味が強いため、香ばしく焼く料理にもっとも適しているでしょう。

表示ラベルを必ず見る

加工食品は炎症性脂肪や大豆油、コーン油、ベニバナ油、ヒマワリ油やピーナツ油などのオメガ6脂肪酸を多く含むので要注意。原材料リストを見て、エキストラバージンオリーブオイルなど、より健康的な油が使われている商品を探しましょう。

手づくりドレッシングなら安全

市販のサラダドレッシングには、添加物や質の悪い油がたっぷり入っています。健康によい油を使い、ドレッシングや野菜のディップをグレードアップしましょう。

フラックスシードオイルはオメガ3脂肪酸の宝庫です。ナッツの風味があり、乳がんや心疾患のリスクを下げる効果のあるリグナン、ポリフェノールや植物性化合物を含んでいます。そのほか、アボカドオイル、エキストラバージンオリーブオイルもおすすめです。

ナッツ類を食べる

ナッツには体によい脂肪、タンパク質、ビタミンやミネラルが豊富に含まれています。そのまま食べてもいいですし、サラダや野菜料理に加える、デザートやマフィンに入れるなど、使い方はさまざまです。

Week40

化学物質を排除する

利益か安全かということとなると、利益が勝つ場合がほとんどです。

――ジェームス・フレイジー（アメリカの作家）

わたしたちは日常的に何百もの化学物質にさらされています。ほとんどは肝臓がうまく解毒し、尿や汗、便を通じて毒が排出されますが、体内に取り込まれた化学物質の多くは、健康に悪影響をもたらすことが証明されています。

にもかかわらず、これらの化学物質はいまだにパーソナルケア商品（歯みがき粉やヘアスプレー、ボディローション、マニキュアなど）、家庭用洗剤やそのほか多くの商品に使われています。

とくに日焼け止め、ローション、ヘアケア商品やおむつかぶれクリームなどの商品が心配です。これらはすぐに体内に吸収されてしまうのです。

化粧品やパーソナルケア商品のおよそ5つにひとつは遊離ホルムアルデヒドと呼ばれる防腐剤を含んでいます。遊離ホルムアルデヒドは、時間とともに少しずつ分解され、ホルムアルデヒド分子をつくる化学物質です［＊1］。

世界保健機関（ＷＨＯ）は、ホルムアルデヒドは吸いこむと発がん性を有すると分類していて、一部のパーソナルケア商品は、使用後にホルムアルデヒドを空気中に放出するおそれもあることがわかっています[＊2]。

ほかにも、トリクロサンとトリクロカルバンという化学物質が、抗菌石鹸、ボディーソープ、体臭防止剤や歯みがき粉など、さまざまな商品に使われています。これらの物質は、ホルモンを乱し、肝臓にとって有害であることがわかっています。

有害な化学物質を含む商品の使用を減らせば、体内の毒素が減り、長期使用による健康リスクを下げられるという科学的証拠があります。

ある調査では、思春期の女の子100人に3種類の内分泌かく乱物質、フタル酸類、パラベンとフェノールを含む商品の使用を控えてもらいました。そして、使用をやめる前と使用をやめた3日後に同化学物質の尿中濃度を測定して比較したところ、体の毒素負荷が大幅に下がっていたことがわかりました[＊3]。

危険な化学物質が使われている商品を避けることで、家族の健康を守ることができるのです。

家族の幸せのために心がけたい習慣

無添加の家庭用洗剤を使いましょう

ここ数年で、無添加の家庭用洗剤の市場は急激に成長しました。ところが、多くの商品に今なお有害な化学物質が使われています。

おすすめは、酢を使った自家製の万能洗剤。酢は、何千年ものあいだ抗菌剤として使われており、最近の研究によると、結核を引き起こす抗酸菌という細菌を殺す力もあることがわかりました。スプレーボトルに酢を入れ、そこにレモン、ラベンダーやミントなどのエッセンシャルオイルを10〜15滴垂らすだけで香りのよい自家製洗浄液がつくれます。

抗菌グッズは避けて

ＦＤＡによると、抗菌石鹸が普通の石鹸より病気を予防できるという研究結果はないそうです。むしろ有毒な化学物質が含まれていることが多いため、これらの商品は避けてください。

使うなら、より安全な日焼け止めを

日焼け止めに入っている有効成分の多くに健康リスクがあるとする研究が増えてきています。もっとも多く使われている紫外線フィルターのオキシベンゾンは、女性の子宮内膜症、男性の不妊症のリスクを高め、母乳に含まれる化学物質の量を増やすことがわかっています［＊4、5、6］。

無香料の商品を選ぶ

香水から家庭用洗剤に至るすべてに入っている「香料」は、さまざまな種類の化学物質でできており、そのいくつかはアレルギーやホルモンの乱れに関係しています。たとえば、香料に含まれるフタル酸類には肌に香りが付着する効果がありますが、同時に内分泌かく乱物質としても知られ、ＥＵでは化粧品への使用が禁止されているのです［＊7］。

子ども向け商品についてはさらに注意が必要

赤ちゃんや幼い子どもは体が小さいため、有毒な化学物質を代謝するのに時間がかかります。子どもに使う商品は極力減らし、信頼できる自然派ブランドを選びましょう。

Week41

迷ったらオーガニックを選ぶ

汝（なんじ）の食事を薬とし、汝の薬は食事とせよ。

――ヒポクラテス（古代ギリシアの医者）

おいしい、栄養が豊富、環境によい、など多くの理由からオーガニック食品を選ぶ人が増えてきました。

農薬が健康を害するという証拠が見つかっているため、オーガニック食品を選びたいものです。食品における残存農薬のダメージは深刻なため、とくに子どもが食べるものには気をつけましょう。

農業では何百もの合成殺虫剤や化学肥料が使われています。それらの化学物質は洗っても野菜や果物に残ったままです。研究の結果、よく使われる化学物質のいくつかは、がん、神経の異常、喘息、胎児の成長障害や内分泌系の乱れを含む健康問題に関連していることがわかりました。

たとえば、グリフォセート（世界中でもっとも広く使用されている除草剤。「ラウンドアップ」という商品が有名）はがんとの関連が広範囲で研究されています。２０１５年３

月に、WHOの国際がん研究機構（IARC）がグリフォセートは発がん性物質と推定できると結論づけました。にもかかわらず、いまだに従来型の農業におけるグリフォセートの使用が認められています。

食品に含まれる農薬の残留量が低くても、発達段階にある脳がさらされれば、永久的な損傷を受けることが研究によって明らかになっています。たとえば、27の研究データを評価した報告書によると、有機リン系殺虫剤にさらされた幼い子ども（胎児も含む）や思春期の子どもは、知能、問題解決能力、脳の処理速度、作業記憶、微細および粗大運動技術とコミュニケーションの面で神経発達障害を示す明白な証拠が見つかったとあります。さらに、注意欠陥多動性障害（ADHD）などの診断を受ける場合もあるそうです［＊1］。

オーガニック農業では有機リン酸系殺虫剤は使われていません。従来の農業と違い、オーガニック農業ではどうしても必要なときに限り、害虫や雑草を除去するために天然の、合成ではない殺虫剤を使用します。オーガニック食品にも多少は殺虫剤が残っていますが、その量は従来の食品に含まれる量の1000～1万分の1です［＊2］。

米国小児科学会は子どもがいる親に対し、オーガニック食品を選ぶこと、家の内外や子どもがよく過ごす場所では殺虫剤を使わないようにすることを推奨しています［＊3］。習慣化することで、大人になっても健康によい食べものを選ぶ習慣を身につけることができます。

家族の幸せのために心がけたい習慣

オーガニックではない食品はよく洗って

従来型の農業では、農薬が作物に散布され、肥料にも含まれています。残留農薬を完全に取り除くことはできませんが、よく洗うことで減らすことができます。

なるべくお金をかけずにオーガニックを選ぶ

同じ食品でも、従来のものよりオーガニック食品のほうが高いのは疑いようもありません。ところが、店によって値段は大幅に違います。家族がよく使うオーガニック商品の値段を比較して賢くお金を節約しましょう。

庭の手入れにはオーガニック製品を

合成肥料の代わりに、堆肥を使いましょう。堆肥とは、有機物や植物が分解されてできた安価な自然の肥料です。栄養分が多く含まれ、オーガニック農業の鍵を握っています。また、大変ではありますが、手で雑草を抜くことで除草剤を使わずにすみます。

Week41

Week 42

自分の健康は自分で守る

健康とはお金のようなもので、失うまでその本当の価値がわかりません。
――ジョシュ・ビリングス（アメリカの野球選手）

現代医療については、病気を治すことはともかく、健康促進には役立っていないという指摘が多くなされています。

結局、太古の昔からわたしたちの健康を守ってきた方法――フルーツや野菜を多く食べ、毎日運動し、1日8時間睡眠し、喫煙せず、ビタミンを摂取し、年に1度は健康診断を受け、医師の言うことを聞き、自分を甘やかしすぎないという健康習慣が有効なのでしょう。

アメリカ疾病予防管理センター（CDC）は、これらの習慣を厳守することで、年間の心疾患による死の30パーセント、がんによる病死の15パーセント、そして脳卒中による死の28パーセントが防げると推定しています［＊1］。

まだインターネットがなかった時代、患者は医師の診断を受け、治療計画を提案されると、セカンドオピニオンをもらう以外にほかの治療法を探すことは極めて困難でした。でも、今では、別の治療法や最新の科学研究などの情報は指先ひとつですぐ手に入ります。
ピュー研究所によると、72パーセントの大人が病気や治療の選択肢など、健康問題についてオンラインで情報収集しているそうです［*2］。

こうして集めた情報は、健康維持に対して積極的になったり、自分や家族に関する医学的判断を従来の医療にゆだねるのではなく、自分たちが主導権を握ったりするのに使えます。

今もなお、あなたの意思を確かめずに医師が判断を下す傾向はあります。ですが、最近は、医学的判断をするのに必要な情報を患者にも共有し、本人の意思を確認することが少しずつ増えています。

子どもの頃に身につけた健康的な習慣は大人になっても変わらないため、健康習慣は、まず家庭で身につけたいものです。

家族の幸せのために心がけたい習慣

信頼できるかかりつけ医を探す

かかりつけ医は、もしも健康に深刻な問題が起きたときに、あなたの力になれる専門家を探す手助けとなってくれます。友人や家族に紹介してもらいましょう。

定期的な検診を受け、数値を理解しましょう

定期的な健康診断は良好な健康状態を保つのに欠かせないデータを提供してくれます。年に1度の健康診断の一環として、貧血や免疫力のレベルをチェックし、特定の心血管マーカーを評価するための定期検査を受けるよう医師が指示する場合があります。

医師に血液検査の結果は正常だと伝えられても、血圧など主要な数値が正常値範囲内のどのあたりに当てはまるか把握しておきましょう。それを知ることで、病気を防ぐのに役立つ選択ができるようになるでしょう。

わからないことは積極的に質問して

医師はメリットとデメリットを含めたバランスのとれた見解ではなく、自分が勧める治

療のメリットに関する情報をより多く伝える傾向があることが、研究によって明らかになっています。薬、治療、診断やほかの治療法などについて、医師に質問しましょう。

処方箋をしっかり読む習慣を

薬にはさまざまな副作用があり、その多くは処方時、患者に詳細な説明がなされません。新しい薬を使う必要があるときは処方箋をしっかり読み、副作用について調べる、または症状を抑え、体調を整えるために栄養面や生活面で変えられることはないか考えましょう。

Week 43

なるべく薬に頼らない

患者を食べもので治療できるときは、薬は薬剤師の鉢の中に置いたままにしておきなさい。

——ヒポクラテス（古代ギリシアの医者）

ご存じのとおり、家族の誰かひとりでも風邪やインフルエンザなどにかかると、家族みんなが被害に遭います。ですから親は必死になって医師や救急診療所を探すことになりますが、研究によれば、わたしたちは間違ったところに救いを求めているのかもしれないのです。

アメリカ疾病対策センター（CDC）は、処方される抗生物質の3つにひとつは不要だといいます。また、鼻炎、中耳炎、気管支炎、肺炎、インフルエンザやアレルギーの治療に処方される抗生物質の半分以上は必要ありません。というのも、これらの感染症のほとんどがウイルス性で抗生物質には反応しないからです［＊1］。同じく、多くの胃腸感染症は自然治癒します［＊2］。

しかも、市販薬のほとんどは安全ではないおそれがあります。たとえば、アセトアミノフェン（タイレノールやそのほかの風邪薬、インフルエンザの治療薬に含まれる鎮痛作用のある有効成分）は代謝される過程で、肝臓にとって極めて有毒な副産物が生成されます。ゲイリー・ペルツ医学博士は次のように言っています。「アセトアミノフェンは、推奨用量の2〜3倍程度でも肝臓に深刻なダメージを与えます。多くの小児用の市販薬にアセトアミノフェンが含まれるため、これは考慮すべき問題です」［＊3］。

家族の健康管理は、十分な栄養と運動、十分な睡眠やストレス管理などの健康的なライフスタイルを通じて予防するところから始まるといえるでしょう。

家族の幸せのために心がけたい習慣

予防的な考え方を取り入れる

子どもがいると、その家族が1年間に病気をしている期間が3週間から18週間に増えます[＊4]。予防的な考え方を取り入れれば、家族への感染を防ぎ、症状を和らげ、つらい期間を短くすることができます。普段からフルーツや野菜が多い食生活を送り、定期的に運動し、新鮮な空気を吸い、睡眠を十分にとり、ストレスを減らすことが大切です。

オメガ3とビタミンCが大切

オメガ3脂肪酸は心臓と脳の健康に不可欠です。魚料理がベストですが、食事から十分に摂取できない場合は、オメガ3フィッシュオイルを毎日補給することが大切です。ビタミンDも含まれている肝油のサプリメントを選んでください。

ビタミンCには、体内での抗酸化物質としての働きとコラーゲンの生成という重要な役割があります。毎日ビタミンCをとることで、免疫力を高め、風邪症状の発生率を下げられます。食べもの由来のビタミンCの粉末はどこでも手に入り、水に溶けるので子どもにも消化しやすくなっています。

Week 43

Week44

乳製品以外からカルシウムをとる

カルシウム神話は、おそらく人類の歴史におけるどの神話より、わたしたちの健康を害してきました。

――デイヴィッド・ウォルフ（アメリカの食のカリスマ）

乳製品はおいしいものです。ですが、とりすぎると健康を害することがわかっています。まず乳製品には炎症や動脈の詰まりを引き起こす、特定の飽和脂肪酸がたっぷり含まれています。次に、ほとんどのヨーグルトには添加糖類が多く使われています。前述したように添加糖類のとりすぎは、肥満、２型糖尿病、高いトリグリセリド値と低いＨＤＬ値や心疾患と関連があります［＊１、２］。

ハーバード大学の研究者たちが19万人以上の男女を数十年間追跡し、乳脂肪と心血管疾患との関連を調べました。乳脂肪からのカロリーを野菜や多価不飽和脂肪に替えたところ、心血管疾患を発症する確率が24パーセント減少することがわかったのです［＊３］。

わたしたちは、乳製品は強い骨をつくり、とくに成長期の子どもたちにとって重要であると思いこんでいます。ところが、乳製品は科学者たちが思っていたほど骨の健康によくないことがわかりました。７万３０００人近くの女性を18年以上にわたって追跡したナースヘルス研究によると、牛乳の摂取は、骨折に対して何の予防効果もないことがわかったのです[＊4]。別の研究によると、乳製品という形でカルシウムをとっても、子どもや若者の骨密度は上がりませんでした[＊5、6]。

2011年にハーバード公衆衛生大学院と医学大学院の専門家たちが、健康のために乳製品を奨励することに対して反対の態度を示し、USDAのマイプレート（アメリカ合衆国農務省による食生活指針）に代わるハーバードの健康的な食事プレートから乳製品をなくしたのです。さらに、乳製品と喘息、慢性気管支炎、慢性中耳炎（子ども）、コリック、湿疹や鼻炎まで含む病状には確固たる関連があるとする見方を認めはじめています。

ちなみに、低脂肪の乳製品を飲むと逆効果のおそれがあります。約1万3000人の9～14歳の子どもたちを対象とした長期追跡調査によると、スキムミルクか脂肪分1パーセントの牛乳を飲んでいた子どものほうが、成分無調整牛乳を飲んでいた子どもに比べ、BMIで見ると体重がより増えていたことがわかったのです。低脂肪の乳製品は、満足度が低くなるため、その穴埋めとしてより多くのカロリーを摂取してしまうのです[＊7]。

骨を強くし、家族の健康を守るためには、乳製品以外からカルシウムをとりましょう。

家族の幸せのために心がけたい習慣

乳製品を減らす工夫を

乳製品を制限すると、家の外で食べる乳製品が増えるなど逆効果になる場合がありま す。そこで、栄養士が採用しているテクニックが「クラウディング・アウト」。乳製品を、乳製品以外のおいしい食べものでクラウド・アウト（押し出す）するのです。たとえば、乳製品がたっぷり使われたラザニアをやめ、豆乳を使ったお気に入り料理にします。

カルシウムは野菜や豆類からもとれます

ほとんどの豆類や色の濃い野菜はカルシウムを多く含んでいます。たとえば、わずか1カップ分の豆類には200〜300ミリグラムのカルシウムが含まれています（コップ1杯分の牛乳で300ミリグラム）。大豆、黒豆、ひよこ豆、いんげん豆などをスープ、シチューに加えましょう。

アーモンドはカルシウムたっぷり

ナッツ類の中でもアーモンドは群を抜いてカルシウムが豊富です。わずか4分の1カップ分の生アーモンドで95ミリグラムのカルシウムがとれます。おやつにそのまま食べてもいいですし、アーモンドプードル（アーモンドの粉）を使って焼き菓子を手づくりすれば、おいしくてカルシウムたっぷりのおやつになります。

ビタミンDを忘れずに

カルシウムをきちんと吸収するには、十分な量のビタミンDが必要です。ビタミンDの数値が低い人は、食事にどれほどのカルシウムが含まれていたとしても、それを食べものから吸収するのが難しくなってしまいます。

ビタミンK2も不可欠

血中のカルシウム濃度が高すぎると、カルシウムが石灰化したり、動脈が硬化したりします。ビタミンK２の役割は、カルシウムを血中から骨や歯など体の別のところへ運ぶことです。ビタミンK２をとるにはレバー、肉や卵の黄身などがあります。

カルシウム排出を防ぐには

腸管で吸収されなかったカルシウムは、尿と一緒に排出されます。高ナトリウムの食事や高タンパク質の食事は、尿と一緒に失われるカルシウムを増やすおそれがあります。ナトリウムが過剰に含まれていることが多い加工食品やインスタント食品は避けましょう。

idence cooking

positive

Intelligence

part4.

あたたかな絆に癒される

co

Week45

よき友になる

おらにはおめえがついてるし、おめえにゃおらがついていて、互いに世話をし合うから。そういうわけさ。

——ジョン・スタインベック（アメリカの作家）、『ハツカネズミと人間』より

親しい友人との会話はつまらない1日をも、楽しい1日に変える力があります。真の友人は人生を豊かにし、人生の浮き沈みを乗り越える支えになり、自信を与え、元気づけ、喜びをもたらしてくれるのです。親しい関係によって安心感がもたらされ、成功する力と、逆境を乗り越える力が得られます。

世界でもっとも長期にわたる研究のひとつ、「ハーバード成人発達研究」によると、人生においてわたしたちを幸せで健康にしてくれるものは名声やお金ではなく、親しい友人関係なのです［＊1］。

社会的なつながりがもっとも少ない人の場合、健康への悪影響をこうむりやすく、社会とのつながりが強い人に比べて、死亡率は2倍になります［＊2］。この研究によれば、50歳のときに人間関係に大いに満足していた人は、80歳のときの健康状態も際立ってよいそうです［＊3］。

国際神経心理学会誌で発表された研究では、極めて活動的な社会生活を送ると、アルツハイマー病になるリスクが70パーセント減ることが明らかにされています[＊4]。

ストレスの多い時期に親しい友人がいれば、コルチゾール（ストレスホルモン）の値が抑えられます[＊5]。前向きな社会的つながりがあると、心の健康に関わる問題を防ぐことができるという研究結果も多くあります。つらい時期に支えになってくれる友人関係は、苦労が健康に与える負担を減らしてくれるのです。

強い社会的な支えがあれば、健康的な行動を積極的に取り入れようとします。青年期では、同年代と良好な関係にあると、アルコールや薬物、暴力行為などの危険な行為に加わりにくくなります。大人の場合、子どもや配偶者、友人などを心から思いやれば、自分の健康についても気にかけるようになるため、長生きしてともに人生を送れるようになるのです。

ソーシャルメディアの世界では、何百人という友だちを得ることができます。しかしオンライン上で「いいね」をしても、コメントをつけても、真の友情は簡単には生まれません。一緒に時間を過ごしたり、共通の思い出をつくったり、直接のやりとりをして友情をはぐくむことで、時の試練に耐える深い関係を築けるのです。

家族の幸せのために心がけたい習慣

定期的に友人と会う約束をする

ＩＴのおかげで頻繁に連絡できるようになりましたが、直接会うことで絆が強まります。子どもがいる人は以前ほど友人と会えないかもしれませんが、３カ月に1回は会う予定を入れましょう。これは子どもの場合も同じです。友だちと過ごす時間をつくってあげて。

気が合わない人と無理に仲よくしない

一緒にいても楽しくない、あるいは害がある――そんな関係は断ちましょう。無理して続けると、心や体に悪影響が出てしまいます。子どもの友人関係についても気を配るようにすると、いじめや不健全な関係にも気づき、サポートすることができます。

もてなし上手になりましょう

上手なもてなし方を覚えると、友人たちが喜んで訪れるようになります。簡単なおやつや飲みものを用意し、玄関で出迎え、上着を受け取り、最後にはお見送りすることで、子どもの友だち（そして自分の友人も）を歓迎する雰囲気をつくりましょう。

必ず仲直りできる４つのメソッド

意見の食い違いは人生につきもの。意見が対立しても友だちでいられる方法を学んだときに、その関係は強くなるのです。子どものケンカを解決しようと口を挟むのではなく、自分の力で解決する方法を与えてあげましょう。次の４つのメソッドが便利です。

- **争いの原因となる行動に責任を負うこと**
- **相手の気持ちに耳を傾けること**
- **共通の土台を見つけること**
- **意見が合わないことを受け入れる**

喜びをシェアしよう

分かち合うことで関係は深まり、幸せな気分を味わえます。たとえば、いただきものを近隣におすそわけしたり、クッキーを多めにつくって友人に届けたりするのもいいですね。子どもにも、仲のよい友だちと本やおもちゃをシェアするようにすすめましょう。

テクノロジーを使ってつながりを保つ

メールや、メッセンジャーを使えば簡単に連絡を取り合うことができます。遠くにいる友人や家族とは、定期的にビデオチャットするのもいいですね。

Week46

ふれて癒す

誰かの体にふれるとき、あなたはその人全体、
その知性、その精神、その感情にふれているのだ。
――ジェイン・ハリントン（マッサージ・セラピスト）

ぎゅっと抱きしめたり、背中を軽くたたいたり、腕に優しくふれたり。こうしたふれあいは心をあたたかくしてくれるだけでなく、脳にも強い影響を及ぼします。

ふれることの大切さは生まれたときから始まります。乳児にとって、たくさんふれて感覚を刺激することは、適切な成長や認知発達に重要な意味を持つからです。

少し大きくなると、習慣的にふれることで自分の体の変化を感知し、自分がいる場所を空間的に認識する力が育ちます。自閉症の子どもの場合は、マッサージ療法によって行動が改善し、アイコンタクトをしたり、顔と顔を合わせたり、相手の話に耳を傾けたりなど、他者を受け入れる力にも改善が見られました[＊1]。

マッサージは安全でゆるやかな療法で、不安感を減らし、気分を高め、痛みを和らげ、眠りを改善する効果があります[＊2、3]。いくつかの研究報告によると、マッサージ療法によって、ストレスホルモンのコルチゾール値が平均で31パーセント下がり、ドーパミン

値が平均で31パーセント上がり、またセロトニンが平均で28パーセント増えたことが明らかになっています。ドーパミンとセロトニンは、気分の調節や満足感、自尊心に関わる神経伝達物質です。

タッチセラピーの効果を得るのに、プロのマッサージは必要ありません。ただ1、2度抱きしめるだけで、幸福感を高め、ストレスを軽減し、血圧を改善し、免疫システムを強め、他者との絆を深めるなど、同じような強力な効果が得られることがわかっています。

研究者によると、抱きしめることで迷走神経が刺激され、オキシトシンの上昇を引き起こすそうです。これは神経伝達物質で、血圧や心拍数、コルチゾール値を下げ、痛みに対する反応を改善する働きをすることがわかっています［＊4、5］。59歳の女性を対象にした研究では、パートナーから頻繁に抱きしめられると回答した人は、オキシトシン値が高く、ストレスがたまる活動のあとでも、心拍数や血圧の上昇が抑えられました［＊6］。

言葉を発しなくても、ふれあうだけで人と人との関係を強め、壁を取り除くことができます。家庭で安全で健康的なふれ方を教えることで、子どもたちの感情面の発達を促し、好ましいふれあいと好ましくないふれあいの区別ができるようになるのです。

ふれることで、愛と思いやり、安心感、励ましが伝わり、絆が強くなるでしょう。

家族の幸せのために心がけたい習慣

自然なハグを習慣に

パートナーが帰宅したとき、子どもが学校から家に帰ってきたときなど、自然にハグする方法を考えて。大げさな愛情表現を好まない家庭でも、続けるうちに慣れていきます。

お互いにマッサージしましょう

寝る前の日課としてマッサージを取り入れるとぐっすり眠れます。調査によれば、軽度ではなく中度の強さのマッサージを受けると、ストレスホルモンであるコルチゾール値が減り、幸せホルモンであるオキシトシン値が上がって白血球数が増えるそうです［＊7］。

遊びを通してふれあいを増やす

パートナーや子どもとふれあうには次のような楽しい方法もおすすめです。

・**背中に絵を描く**　指で子どもの背中に絵や言葉を描いて当てるゲームです。
・**おんぶする**　子どもをおんぶして歩きまわりましょう――ただし腰に問題がなければ。
・**ベッドで起き上がりこぼし**　子どもの体に手脚を巻きつけ、ベッドの上を転がります。

Week46

Week47

リアルな会話を楽しむ

物事は口にした瞬間、少し違ったものになる。

――ヘルマン・ヘッセ（ドイツ生まれの小説家）

人間とは、つながりを強く求める生き物です。わたしたちは会話によって、他人との絆を築き、深めます。

メールやインターネットの利用が増え、リアルな会話は減ってきています。ある研究によると、最近の大学生たちは、これまでの大学生たちに比べて共感力が40パーセントも低下しているそうです［＊1］。研究者たちは、現代の学生は面と向かって会話するよりオンラインでやりとりすることのほうが圧倒的に多く、そのため、人の表情から感情をうまく読みとれなくなっているのではないかと考えています。

また、家庭でもオンラインを介するコミュニケーションが浸透し、親子関係は危機にさらされています。中身のある会話は、子どもの言語スキルや心の知能指数、自尊心、問題解決能力の発達に欠かせません。さらに、子どもの幸せは、親と有意義な会話をする頻度と直接関係があることもわかっています。ある調査研究では、もっとも幸福度が高い子どもたちは、毎日のように親と有意義な会話をしていると回答したそうです[＊2]。

子どもが思春期になると、親子の会話は子どもの意思決定やリスクテイキングに直接影響を与えるようになります。たとえば、性について親と話す機会が多い10代の子どもは性体験が遅く、自制心があり、性交渉がある場合でもしっかりと避妊していることが立証されています。別の文献レビューによると「親と中身のある会話をよくする、親との関係が良好、あるいは、親が性についてオープンに話してくれると感じている10代の子どもは、性的自己決定能力が高い」といいます[＊3]。

同じように、日頃から親とオープンな議論を交わす10代の子どもは、喫煙や飲酒、薬物使用の可能性が低いことがわかっています。反対に、親子の会話が飲酒や喫煙のルールばかりだと、子どもは、かえってそれらの危険行為に手を染めやすくなるそうです[＊4、5]。

会話をより深めるには、ゆっくり話をするのに必要な時間、黙って話の内容を振り返る余裕、そして、一貫性があることが大切になります。子どもの幸せにとって重要なのは、お互いに率直な意見が言えることです。

今こそ、家族みんなで集まり、スマホやパソコンをしまって、会話のすばらしさを再発見するときです——わたしたち自身の幸せ、さらには家族の幸せのために。

家族の幸せのために心がけたい習慣

夕食時や寝る前のひとときを大切に

幼い子どもたちは、眠る前、頭の中で1日のできごとを振り返ります。寝る前の時間を利用して子どもたちが何を考えているのかを探ってみましょう。成長してひとりで眠れるようになっても、寝る前の時間は子どもの1日について知るための貴重な時間です。

聞き上手になる

一般的に、たくさん話す人ほど、会話によって気持ちが前向きになり、元気になるものです。そこで、アクティブ・リスニング（積極的に人の話を聞く姿勢）を練習し、聞き上手になり、相手との関係を深められるようにしましょう。これは、まだ言葉を使った感情表現がうまくできない子どもとの関係づくりではとくに重要となります。

家族に意見を聞いてみて

個人的な状況を打ち明け、家族に意見を求めることで会話を始めてみてください。年齢に関係なく、人は自分の意見を求められると誇らしく感じることに気づくはずです。ひょ

っとすると、末っ子から役に立つ興味深いアドバイスをもらえることもあるかもしれません。

会話がはずむ質問を

子どもから話を聞き出すのは至難の業という場合もありますが、、子ども専門のセラピストによると、問題は質問の仕方にあるといいます。まず、「今日はどうだった？」と聞くのではなく、「今日、いちばんよかったことは？」や「何かおもしろいことをした子はいた？」など、興味深い情報を引き出せそうな質問をしましょう。

子どもの関心事に関心を持つ

『子どもが聴いてくれる話し方と子どもが話してくれる聴き方大全』の著者アデル・フェイバによると、子どもとの会話を増やすには、おもちゃや漫画、テレビ番組など、子どもが夢中なものに親が積極的に興味を示すといいそうです。

仲直りをサボらない

大切な人との口論のあとは、頭を冷やし、感情が鎮まるまで時間をおきたくなるものです。ただし、強い絆を維持するには、仲直りをサボってはいけません。意固地になりがちな10代の子どもの場合は、必要に応じて仲直りのきっかけをつくってあげましょう。

Week48

インターネットを安全に使いこなす

インターネットは、明日の地球という村の広場になりつつある。

——ビル・ゲイツ（アメリカの実業家）

今の子どもたちは、わたしたちが育った世界とはまったく違うテクノロジー世界を生きています。今の子どもたちは、ワイヤレステクノロジーや携帯機器、無制限のコンテンツの急速な普及によって、いつでも、どこでも、何にでもアクセスできる最初の世代となりました［＊1］。

実際に、２０１３年にアメリカの非営利メディア監視団体、コモン・センス・メディアが行った調査によると、８歳以下の子どもの72パーセントと、２歳以下の子どもの38パーセントが携帯端末を使って動画を見たり、ゲームをしたり、アプリを使用したりしていることがわかりました［＊2］。

また、ピュー研究所の別の調査によると、ティーンエイジャーの24パーセントは「常にインターネットに接続している」と回答し、56パーセントが1日に何度もインターネットに接続するといいます。また、ほとんどの大人が仕事、家族や友だちとの関係づくり、家事をインターネットに頼っています。もし、携帯端末やワイヤレスのネット接続がなければわたしたちは何もできなくなってしまうでしょう。

あらゆるところにインターネットが浸透している今、オンラインの世界にひそむ多くの危険から子どもたちを守らなければいけません。思春期の子どもの約5人にひとりがネットいじめに遭う、ネット上で見知らぬ人から接触がある、性的なメッセージを受け取る、または望んでいないネットポルノにさらされるなどの経験をしています［＊3］。

また、個人情報の盗難も心配です。カーネギーメロン大学の報告によると、同じ期間で子どもが個人情報の盗難被害に遭う確率は大人の51倍だといいます［＊4］。

アプリやゲームのウェブサイトで個人情報を求められるのは珍しいことではないため、インターネットで個人情報を共有する危険についての知識がない幼い子どもは、より被害に遭いやすくなっています。

親は、家庭においてもインターネットの危険性について子どもたちに教えることで、危害に遭うリスクを減らし、オンライン活動について率直に話し合い、インターネットの使い方に自信を持たせることができるでしょう。

家族の幸せのために心がけたい習慣

安全のボーダーラインを決める

子どもが大きくなると、インターネットにおける安全を維持するのは難しくなります。そこで、家族が安全に過ごせるよう、子どもの年齢に適したボーダーラインを一緒に考えましょう。たとえば、すべての機器にＷｉＦｉのパスワードを記憶させないように設定し、子どもたちがインターネットを使うときは必ず親の許可が必要になるようにするのもおすすめです。

個人情報は明かさない

インターネット上にいる泥棒は、インターネットに入力したあらゆる個人情報をたどって、あなたの金融機関や個人記録にアクセスできます。ユーザーＩＤとメールアドレスを一緒にしているだけでも個人情報は得られます。これらのリスクについて家族と話し合い、インターネット上でメールアドレスを含む個人情報を共有するときは大人に相談するというルールを決めましょう。

モニタリングソフトを検討してみて

今のモニタリング・プログラムやアプリには、オンライン活動のあらゆる面を対象にした包括的なものから、携帯電話の使用を監視するなど特定のオンライン活動に焦点を絞ったものがあります。そこで監視（モニタリング）していて気づいたことをきっかけに、オンライン活動について話し合いましょう。

スマホを持たせる年齢を遅らせる

調査をすると、テクノロジー・リーダーの多くが、子どもには14歳になるまでスマートフォンは持たせないと断言しています。ゲーム機やスマホなどのスクリーンを長時間見ることによる悪影響についてもっと詳しく知りたい場合は、76ページの「デジタル・デトックスを始める」を読んでください。

Week 49

違いを認める

人は個人的なせまい関心事を超え、全人類に関係する広い関心事に目を向けるようになって初めて人生をスタートできる。

――マーティン・ルーサー・キング・ジュニア（牧師・公民権運動の指導者）

21世紀に入ってからというもの、国境を越える移民の数は急速に増えています。2億4400万人もの人が、生まれた国から別の地域に移住していますが、移民が、受け入れ国にもたらすメリットのひとつが文化の多様性でしょう［＊1］。

また、性の多様化も進んでいます。2016年には、アメリカ人の4・1パーセントがレズビアン、ゲイ、バイセクシャル、またはトランスジェンダーだと特定されました――わずか4年で21パーセント増加しています［＊2］。

多様化が進む社会では、人はより忍耐強く、寛容になる必要があります。そしてうれしいことに、これらの性質は、よりよい健康と成功とも関係があるのです。寛容な人は、とくに学習環境において柔軟な考え方ができます――これは変わりつづけるテクノロジー業界において誰もが求める性質です［＊3］。

また、忍耐強い人は、人生の変化にうまく対応することができます。考え方が柔軟な人や寛容な人は、体も心も健康で、精神疾患にかかる可能性が低いことが長期調査から明らかになっています［＊4］。

彼らが健康なのには、さまざまな理由があります。まず、常に変わりつづける状況で自分の態度を改められます。また、辛抱強く、苦労を伴う状況からすばやく回復します。さらに、より幸せでいるために時間の使い方を変える能力に長けています［＊5］。全体的に見て、寛容な人は、人生でより大きな幸せと健康を得られるのです［＊6、7］。

多様性を大事にする企業にもメリットがあります。ある調査によると、人種的多様性がもっとも高い革新的な金融機関は、多様性に乏しい組織に比べて業績もよかったそうです［＊8］。さらに、長期研究によると、さまざまなバックグラウンドを持つ人たちを集めたグループのほうが、より創造的で革新的な仕事ができるといいます［＊9］。

私たちは何歳になっても忍耐力や寛容さを高めることができます。寛容な子どもを育てようとする親は、あらゆるライフステージにおいて、また、世界中のどこで暮らそうと、成功しやすい能力を子どもに贈ることになるのです。

家族の幸せのために心がけたい習慣

多様性について話し合いましょう

多様性の専門家であるクリストファー・メッツラーは、子どもが人の違いを理解し、受け入れられるようにするには、多様性に関する話題について普段から話すことが必要不可欠だといいます［＊10］。

いろいろな人と仲よくなる

自分とは違うバックグラウンドを持つ人たちと過ごすことで、さまざまな暮らしや伝統を知ることができ、多様性に慣れ親しむようになります。近所のスーパー、郵便局やよく行く店で働いている多様な人たちと仲よくなるのもおすすめです。

多文化イベントに参加してみて

特定の人種や民族による祭りやイベントは楽しく、勉強になるものです。イベントでは伝統的な食べもの、音楽、ダンス、民族の歴史が紹介されます。国ごとのフードフェスティバルに参加し、おいしい食べものや飲みものとともに交流を楽しみましょう。

歴史をたどる

歴史のレンズを通して多様性について探るのもひとつの教材です。図書館で年齢に合った本を探すか、子どもたちにさまざまな文化、地域の人たちの言葉や歴史、暮らしについて教えてくれる博物館を訪れましょう。

相手を尊重しながら反対意見を伝えるスキルを

バックグラウンドが異なれば、見解や考え方も異なります。人の話を聞き、思いやりながら反対意見を伝えるのは大切なスキルです。子どもと模擬議論をしたり、幼い子どもには「ごっこ遊び」の中でやってみせたりしてお手本を示すことができます。

普段から落ち着いた話し方を心がける

私たち大人は、政治的な意見が異なる人のニュースを見ていらだちをぶつけたり、スポーツのライバルチームにネガティブな言葉をつぶやいたりしがちです。ですが、子どもはそんな親の態度、言葉づかいに敏感なもの。とくに幼い子どもは冗談とののしりの区別ができないため、影響を受けやすくなります。子どもたちが、ひどい言い方や心ない言葉を使わずに、相手を尊重できる人になるよう導いてあげましょう。

Week50

優しさを広める

どんなに小さくても、その優しさが無駄になることは絶対にない。

——イソップ（ギリシアの寓話作家）

人に優しくするのは正しいことです。ところが正しいだけでなく、健康にもよいという確固たる証拠まであるのです。優しさは、血圧を下げ、痛みを和らげ、喜びや癒しの力を増し、まわりからの信頼が厚くなる（つまり、人気者になれる）ことがわかっています。

ドアを押さえておく、地下鉄で席を譲るなどの優しさは、必ず目にとまります。してもらった側としてはお礼を言い、できるときはお返しを申し出るのが普通です。すると、優しくした人は充足感が得られ、喜びに満ちた人生や積極的な生き方につながることがわかっています。

ある無作為対象実験では、1週間にわたって1日に5回、親切な行為をした学生のグループはほかのグループに比べて明らかに感情が前向きで、学業にも熱心に取り組んでいたことがわかりました［＊1］。

人助けは、絆を強めたり、よりよい人間関係を築いたりするのに関係があるオキシトシンという神経伝達物質を増やします。9～11歳の子どもたちを対象に行われた対照実験によると、親切な行為をすると人生に対する満足度と幸福度が上がるだけでなく、まわりの子どもたちからの人気や信頼も高まることがわかりました［＊2］。

著述家で研究者のソニア・リュボミアスキー博士や、人に親切にすることを活動テーマにしている非営利団体ベンズ・ベルズの創設者であるジャネット・マーレを含む専門家たちの多くが、優しさは直接の指導や意図的な活動を通して身につけたり、教わったり、高めたりできると考えています。家族で人に優しくする目標を立てて実践すれば、より自然に、無意識にできるようになるのです。

人に優しく接しているときに分泌されるオキシトシンと呼ばれる神経伝達物質は体内の炎症を抑えます［＊3］。炎症はアテローム性動脈硬化症や心臓病などのよくある心血管疾患の大きな要因となります［＊4］。さまざまな研究によって、慢性的な痛み、心臓の問題や炎症を抱えている人たちが、他人に優しくすることで心身の健康が改善されることがわかっています。

研究によると、日々、優しくするという明確な目標を持ち、実際にその機会を見つけ出せる人は、健康が改善され、幸福度が上がるといいます。優しさを広めるという行為は、あなたの努力によって世の中がよりポジティブになるというメリットもあります。

家族の幸せのために心がけたい習慣

優しくできたら、ごほうびを与えるよりほめる

子どもの優しさを継続させるには、物質的なごほうびより、優しくできたことをほめるほうが効果的です。さまざまな調査から、母親が子どものよい行いをほめると、子どもは社会性のある態度をとったり、友だちをサポートしたり、前向きな態度をとったりする傾向が強まることがわかっています［＊5、6］。

誰に対しても優しく

知っている人に優しくするのは、人間関係を深める方法のひとつです。ところが、他人にはなかなかスムーズに優しくできません。相手との共通点を見つけ、親しく接することができるよう手を貸しましょう。もちろん、あなたが他人に対して優しく、感謝の気持ちを持って接するお手本を示すことができるのがベストです。

親切な行いを習慣に

友人、近所の人たち、家族、病気の子どもやお年寄りなど、困っている人にしてあげた

いと思うことを家族で話し合いましょう。そして、毎週、あるいは毎月、匿名で親切をする日を決めてください。

まず、人の気持ちを考える

共感力が高い人は人の気持ちにたやすく寄り添えるため、優しい傾向があります。幼い子どもが自分のことにばかり夢中になるのは普通ですが、保護者が導くことで、共感力が高い子どもになります。共感力を促すには、「もし、あなたの身にそれが起きたらどう思う？」というような質問で共感力をはぐくむことができます。

ペットの世話で思いやりの練習を

ほかのスキルと同様に、優しさや思いやりを持てるようになるには練習が必要です。子どもがこれらのスキルを磨くには、毎日ペットの世話をさせるといいでしょう。ペットの魚に餌をやる、犬を外に出して用を足させるのは、優しさや思いやりの練習です。

Week 51

善意のお返しをする

100人に食べさせることができないのなら、ひとりに食べさせなさい。
——マザー・テレサ（カトリック教会の修道女）

ボランティア活動などを通じて善意を広めることは、社会全体に利益をもたらし、あなたもその恩恵を受けられます。ある研究によると、利他的な人は人生の満足度や健康・幸福度が高いそうです［＊1］。

ボランティア活動は、年齢を重ねると、とくに健康に役立つことがわかっています。ある調査によると、過去12カ月のあいだに最低200時間ボランティア活動を行った高齢者は、ほかの高齢者に比べ、血圧が低いことがわかりました。また、人のために自分の時間を多く捧げている人たちは、健康度も高く体を動かす機会も増えていました［＊2］。

実際に、慢性疾患を持つ人で、人のために自分の時間を捧げる人は、人生に前向きで、うつ病のレベルも低いことがわかっています［＊3］。ボランティア活動を行う人は健康状態に関係なく、長生きし、質の高い人生を享受できるという研究結果を考えればなおさらでしょう［＊4］。

ボランティア活動を行う子どもは自尊心が高く、自信があり、学業成績がよく、問題行動が少なく、健康度も高いという研究結果があります［＊5、6、7］。さらに、学校などを通じてボランティア活動に参加した子どもたちは、労働意欲も倫理観も高い傾向にあるのです［＊8］。

２０１６年にインディアナ大学リリーファミリースクール・オブ・フィランソロピーが発表した「お返しという伝統」という報告書には、親や祖父母がボランティア活動を行ったり、寄付をしたりすると、子どもも同じようにする可能性が高いと書かれています。

研究によると、幼い子どもは、人に何かを与えているときに、より多くの幸せを感じるそうです。ある調査では、幼児にお菓子を与え、幼児は自分ひとりで食べるか、実験中に出会った甘いもの好きの人形と分け合って食べるか観察しました。そして、お菓子を人形と分け合った場合と、自分ひとりで食べた場合とで情動反応を測定したところ、幼児たちはお菓子を分けたときのほうが大きな喜びを感じていたといいます［＊9］。

家族の幸せのために心がけたい習慣

無理のない範囲でOK

多くの親が、仕事と家庭の両立だけでも精いっぱいだと感じていることでしょう。ですが、がむしゃらにがんばらなくても、ボランティア活動や寄付はできます。たとえ1年に2時間でもOK。無理のない範囲で長く続けるためにも、自分が関心を持っているテーマに根ざした活動を選びましょう。

寄付について話し合って

寄付をすることの意義を子どもが理解できるよう、なぜ、どのように寄付をしているか話してあげてください。たとえば、寄付したお金は食べものや衣類に使われること、困っている人たちが十分な食べものを得られ、学び、遊び、学校や職場で勉強や仕事ができるようになることを説明しましょう。

お金ではなく品物の寄付も

寄付はお金に限りません。慈善団体では、援助物資が不足している場合がほとんどで

す。家族で、地域のフードバンクには常温保存可能食品を、小児病院にはおもちゃや本を、ホームレスの支援団体には衣類を寄付しましょう。形あるものを集めたり寄付したりすることで、まだお金の概念を理解していない幼い子どもも参加しやすくなります。

チャリティーイベントもおすすめ

ウォーキングやランニングなど、家族で参加できるチャリティーイベントを探しましょう。イベントによっては、家族で参加しやすいよう通常のコースに加えて、1キロマラソンやリレーなど、子ども用のコースも用意されていますね。

Week52

家族で料理して一緒に食べる

本当に友だちをつくりたければ、誰かの家へ行き、その人と食事をしてください。食べものを与えてくれる人は、心も与えてくれます。
——セザール・チャベス（アメリカの公民権活動家）

共働き家庭が増え、家族構成が変化し、職場で過ごす時間や子どもの習い事などの送迎にかかる時間が増えたため、現代の親は以前よりも時間に追われています。

残念ながら、家族そろっての食事が減っていることは、わたしたちの健康に悪影響をもたらすことがわかっています。

レストラン、スーパーやファストフード店でつくられる食べものは栄養価が低いのです。健康に悪い脂肪、精製穀物やナトリウムが多く含まれ、多くの場合、オーガニック食品や質のいい肉は使われていません。また、ほとんどのレストランでは、安くて健康に悪い植物油で調理しています。

ところが、家庭で食事をつくる場合は、自分で材料を決められます。たとえば、食べものを炒めたり、サラダにドレッシングとしてかけたりするのに、健康によい油を選ぶこともできます。ある調査では、週に6～7回は夕食を自炊すると答えた人は、体重を減らそうとはしていないにもかかわらず、食物繊維が豊富で、炭水化物、砂糖や塩分が少ない健康的な食事をしていることがわかりました［＊1］。

料理はすばらしいスキルです。いくつもの調査から、料理のプログラムに参加した大人も子どもも、料理の腕が上がり、自信がつくだけでなく、健康によい食べものを選ぶ力がつくことがわかっています［＊2、3、4］。

楽しい時間を過ごせるよう、家族が好きな健康的な料理をつくりましょう。家族全員の味の好みを考慮して、それぞれが好きなメニューを入れるようにするといいですね。

また、一緒に食事をすることで家族の絆がより深まります。一緒に食事をするという儀式によって、親は子どもの人生に関わり、影響を与えつづけられるのです。家族で食事をする機会が多いと、摂食障害、アルコールや薬物の乱用、暴力的な態度、気分の落ちこみや自殺の減少につながります［＊5、6、7］。さらに、家族と食事をしている若者は自尊心が高く、学業でもいい成績を収める傾向にあります［＊8］。

家庭で料理し、家族で一緒に食事をすることで、家族の健康を高め、子どもたちに貴重な生活スキルを教え、絆を深めることができます。つまり、家族をしっかり支える基盤をつくっているのです。

家族の幸せのために心がけたい習慣

家族でテーブルにつく

忙しい現代生活において、家族そろってテーブルにつくなんて不可能な気がするかもしれませんが、少し計画を立てるだけでうまくいくのです。幼い頃から一緒に食事をすることで、子どもは、親の食べ方を見てまねるようになるのです。

話して、聞いて

家族そろっての食事は子どもたちにとって気持ちを表現したり、その日のできごとを整理したり、家族の絆を深めるための場所になります。子どもの話に耳を傾け、あなた自身の人生についても共有しましょう。たとえば、家族全員にその日にあったいいできごとを3つとイヤなできごとをひとつ話してもらう、などです。

1週間メニューをつくっておくと便利

あらかじめ何を食べるか決めておけば、食事の準備で追いつめられずに家族の時間を楽しめます。前もって1週間分、あるいは平日の食事のメニューを決めておきましょう。

Week 52

PART 3　すこやかな体をつくりあげる

- □ Week25　深くぐっすり眠る
- □ Week26　きれいな水をたっぷり飲む
- □ Week27　健康的に日の光を浴びる
- □ Week28　食べものとよい関係を育む
- □ Week29　家族みんなで体を動かす
- □ Week30　フルーツや野菜で食事をカラフルに
- □ Week31　地産地消を心がける
- □ Week32　自然の中でのんびり過ごす
- □ Week33　穀物を賢く選ぶ
- □ Week34　「肉」の安全性に意識を向ける
- □ Week35　プラスチック製品に注意する
- □ Week36　砂糖を控える
- □ Week37　週に3回、魚を食べる
- □ Week38　食品添加物を避ける
- □ Week39　健康によい油をとる
- □ Week40　化学物質を排除する
- □ Week41　迷ったらオーガニックを選ぶ
- □ Week42　自分の健康は自分で守る
- □ Week43　なるべく薬に頼らない
- □ Week44　乳製品以外からカルシウムをとる

PART 4　あたたかな絆に癒される

- □ Week45　よき友になる
- □ Week46　ふれて癒す
- □ Week47　リアルな会話を楽しむ
- □ Week48　インターネットを安全に使いこなす
- □ Week49　違いを認める
- □ Week50　優しさを広める
- □ Week51　善意のお返しをする
- □ Week52　家族で料理して一緒に食べる

「わたしと家族の幸せ時間をつくる52の習慣」チェックリスト

52の習慣をすべて順番通り完璧にこなしていく必要はありません。
まずは試してみることが大切。チェックをつけることで、
達成感を味わうことができます。

PART1 豊かな心をはぐくむ

- □ Week1 ユーモアを愛する
- □ Week2 感謝の気持ちを伝える
- □ Week3 アロマでくつろぐ
- □ Week4 ブレない価値観を持つ
- □ Week5 暮らしに音楽を取り入れる
- □ Week6 スピリチュアリティを高める
- □ Week7 ものではなく経験を楽しむ
- □ Week8 自分の体を愛する
- □ Week9 折れない心を育てる
- □ Week10 「今」に集中して生きる
- □ Week11 いつも前向きに
- □ Week12 自尊心を高める
- □ Week13 心の知能指数を育てる

PART2 冴えた頭脳を手に入れる

- □ Week14 読書を楽しむ
- □ Week15 ものを減らし、整える
- □ Week16 デジタル・デトックスを始める
- □ Week17 瞑想でマインドフルネスに生きる
- □ Week18 想像力を羽ばたかせる
- □ Week19 目標を設定する
- □ Week20 限界にチャレンジする
- □ Week21 静けさの中で過ごす時間をつくる
- □ Week22 好奇心を育てる
- □ Week23 お金の貯め方・使い方を身につける
- □ Week24 多文化にふれ、グローバルに生きる

出典

Week1

1.Manninen, S., Tuominen, L., Dunbar, R., Karjalainen, T., Hirvonen, J., Arponen, E., . . . Nummenmaa, L. (2017). Social laughter triggers endogenous opioid release in humans. Journal of Neuroscience, 0688–16.

2. Berk, L. S., Tan, S. A., Fry, W. F., Napier, B. J., Lee, J. W., Hubbard, R. W., . . . Eby, W. C. (1989). Neuroendocrine and stress hormone changes during mirthful laughter. American Journal of the Medical Sciences, 298(6), 390–396.

3.Clark, A., Seidler, A., & Miller, M. (2001). Inverse association between sense of humor and coronary heart disease. International Journal of Cardiology, 80(1), 87–88.

4.Vlachopoulos, C., Xaplanteris, P., Alexopoulos, N., Aznaouridis, K., Vasiliadou, C., Baou, K., . . . Stefanadis, C. (2009). Divergent effects of laughter and mental stress on arterial stiffness and central hemodynamics. Psychosomatic Medicine, 71(4), 446–453.

5.Hayashi, K., Kawachi, I., Ohira, T., Kondo, K., Shirai, K., & Kondo, N. (2016). Laughter is the best medicine? A cross-sectional study of cardiovascular disease among older Japanese adults. Journal of Epidemiology, 26(10), 546–552.

6.Hayashi, T., Tsujii, S., Iburi, T., Tamanaha, T., Yamagami, K., Ishibashi, R., . . . Murakami, K. (2007). Laughter up-regulates the genes related to NK cell activity in diabetes. Biomedical Research, 28(6), 281–285.

7.Sakai, Y., Takayanagi, K., Ohno, M., Inose, R., & Fujiwara, H. (2013). A trial of improvement of immunity in cancer patients by laughter therapy. Japan-Hospitals, 32, 53–59.

8.Manninen, S., Tuominen, L., Dunbar, R., Karjalainen, T., Hirvonen, J., Arponen, E., . . . Nummenmaa, L. (2017). Social laughter triggers endogenous opioid release in humans. Journal of Neuroscience, 0688–16.

9.Caird, S., & Martin, R. A. (2014). Relationship-focused humor styles and relationship satisfaction in dating couples: A repeated-measures design. Humor, 27(2), 227–247.

10.Martin, R., & Kuiper, N. A. (2016). Three decades investigating humor and laughter: An interview with Professor Rod Martin. Europe's Journal of Psychology, 12(3), 498.

Week2

1.Froh, J. J., Emmons, R. A., Card, N. A., Bono, G., & Wilson, J. A. (2011). Gratitude and the reduced costs of materialism in adolescents. Journal of Happiness Studies, 12(2), 289–302.

2.Mojtabai, R., Olfson, M., & Han, B. (2016). National trends in the prevalence and treatment of depression in adolescents and young adults. Pediatrics, e20161878.

3.Wood, A. M., Joseph, S., Lloyd, J., & Atkins, S. (2009). Gratitude influences sleep through the mechanism of pre-sleep cognitions. Journal of Psychosomatic Research, 66(1), 43–48.

4.Wood, A. M., Maltby, J., Gillett, R., Linley, P. A., & Joseph, S. (2008). The role of gratitude in the development of social support, stress, and depression: Two longitudinal studies. Journal of Research in Personality, 42(4), 854–871.

5.Froh, J. J., Bono, G., & Emmons, R. (2010). Being grateful is beyond good manners: Gratitude and motivation to contribute to society among early adolescents. Motivation and Emotion, 34(2), 144–157.

Week3

1.Lee, Y. L., Wu, Y., Tsang, H. W., Leung, A. Y., & Cheung, W. M. (2011). A systematic review on the anxiolytic effects of aromatherapy in people with anxiety symptoms. Journal of Alternative and Complementary Medicine, 17(2), 101–108.

2.Hwang, E., & Shin, S. (2015). The effects of aromatherapy on sleep improvement: A systematic literature review and meta-analysis. Journal of Alternative and Complementary Medicine, 21(2), 61–68.

3.Jafarzadeh, M., Arman, S., & Pour, F. F. (2013). Effect of aromatherapy with orange essential oil on salivary cortisol and pulse rate in children during dental treatment: A randomized controlled clinical trial. Advanced Biomedical Research, 2, 10. http://doi.org/10.4103/2277-9175.107968.

4.Maia, M. F., & Moore, S. J. (2011). Plant-based insect repellents: A review of their efficacy, development and testing. Malaria Journal, 10(Suppl 1), S11. http://doi.org/10.1186/1475-2875-10-S1-S11.

Week4

1.Making Caring Common, Harvard Graduate School of Education. (2014). The children we mean to raise. Retrieved from https://mcc.gse.harvard.edu/the-children-we-mean-to-raise.

Week5

1.Bradt, J., & Dileo, C. (2009). Music for stress and anxiety reduction in coronary heart disease patients. The Cochrane Database of Systematic Reviews, 2(1).

2.Stefano, G. B., Zhu, W., Cadet, P., Salamon, E., & Mantione, K. J. (2004). Music alters constitutively expressed opiate and cytokine processes in listeners. Medical Science Monitor, 10(6), MS18–MS27.

3.Bottiroli, S., Rosi, A., Russo, R., Vecchi, T., & Cavallini, E. (2014). The cognitive effects of listening to background music on older adults: Processing speed improves with upbeat music, while memory seems to benefit from both upbeat and downbeat music. Frontiers in Aging Neuroscience, 6, 284.

4.Zhao, T. C., & Kuhl, P. K. (2016). Musical intervention enhances infants' neural processing of temporal structure

in music and speech. Proceedings of the National Academy of Sciences, 201603984.
5.Van de Carr, R., & Lehrer, M. (1986). Enhancing early speech, parental bonding and infant physical development using prenatal intervention in standard obstetric practice. Journal of Prenatal & Perinatal Psychology & Health, 1(1).
6.Bugos, J. A., Perlstein, W. M., McCrae, C. S., Brophy, T. S., & Bedenbaugh, P. H. (2007). Individualized piano instruction enhances executive functioning and working memory in older adults. Aging and Mental Health, 11(4), 464–471.
7.Wong, P. C., Chan, A. H., Roy, A., & Margulis, E. H. (2011). The bimusical brain is not two monomusical brains in one: Evidence from musical affective processing. Journal of Cognitive Neuroscience, 23(12), 4082–4093.
8.Hanser, S. B., & Mandel, S. E. (2010). Manage your stress and pain through music. Boston, MA: Berklee Press.

Week6

1.Scales, P. C., Syvertsen, A. K., Benson, P. L., Roehlkepartain, E. C., & Sesma Jr, A. (2014). Relation of spiritual development to youth health and well-being: Evidence from a global study. In A. Ben-Arieh, F. Casas, I. Frones, & J. E. Korbin (Eds.), Handbook of child well-being, (2), 1101–1135. Dordrecht, The Netherlands: Springer Netherlands.

Week7

1.Van Boven, L., & Gilovich, T. (2003). To do or to have? That is the question. Journal of Personality and Social Psychology, 85(6), 1193.
2.Caprariello, P. A., & Reis, H. T. (2013). To do, to have, or to share? Valuing experiences over material possessions depends on the involvement of others. Journal of Personality and Social Psychology, 104(2), 199.

Week8

1.National Eating Disorders Association. (n.d.). What are eating disorders? Retrieved from https://www.nationaleatingdisorders.org/get-facts-eating-disorders.
2.Record, K. L., & Austin, S. B. (2016). “Paris Thin”: A call to regulate life-threatening starvation of runway models in the US fashion industry.
3.Nota, B. (2013, January 3). Israeli law bans skinny, BMI-challenged models. Retrieved from http://abcnews.go.com/International/israeli-law-bans-skinny-bmi-challenged-models/story?id=18116291.
4.BBC. (2017, May 6). France bans extremely thin models. Retrieved from http://www.bbc.com/news/world-europe-39821036.
5.Eisenberg, M. E., Wall, M., & Neumark-Sztainer, D. (2012). Muscle-enhancing behaviors among adolescent girls and boys. Pediatrics, peds-2012.

Week9

1.MacLeod, S., Musich, S., Hawkins, K., Alsgaard, K., & Wicker, E. R. (2016). The impact of resilience among older adults. Geriatric Nursing, 37(4), 266–272.
2.『やり抜く力　GRIT（グリット）――人生のあらゆる成功を決める「究極の能力」を身につける』アンジェラ・ダックワース著、神崎朗子訳、ダイヤモンド社、2016年
3.Jobin, J., Wrosch, C., & Scheier, M. F. (2014). Associations between dispositional optimism and diurnal cortisol in a community sample: When stress is perceived as higher than normal. Health Psychology, 33(4), 382.

Week10

1.Killingsworth, M. A., & Gilbert, D. T. (2010). A wandering mind is an unhappy mind. Science, 330(6006), 932.
2.Garland, E. L., Froeliger, B., & Howard, M. O. (2013). Mindfulness training targets neurocognitive mechanisms of addiction at the attention-appraisal-emotion interface. Frontiers in Psychiatry, 4.
3.Tomfohr, L. M., Pung, M. A., Mills, P. J., & Edwards, K. (2015). Trait mindfulness is associated with blood pressure and interleukin-6: Exploring interactions among subscales of the Five Facet Mindfulness Questionnaire to better understand relationships between mindfulness and health. Journal of Behavioral Medicine, 38(1), 28–38.
4.Labelle, L. E., Campbell, T. S., Faris, P., & Carlson, L. E. (2015). Mediators of mindfulness based stress reduction (MBSR): Assessing the timing and sequence of change in cancer patients. Journal of Clinical Psychology, 71(1), 21–40.
5.Costa, A., & Barnhofer, T. (2016). Turning towards or turning away: A comparison of mindfulness meditation and guided imagery relaxation in patients with acute depression. Behavioural and Cognitive Psychotherapy, 44(4), 410–419.
6.Harpin, S. B., Rossi, A., Kim, A. K., & Swanson, L. M. (2016). Behavioral impacts of a mindfulness pilot intervention for elementary school students. Education, 137(2), 149–156.
7.Bennett, K., & Dorjee, D. (2016). The impact of a mindfulness-based stress reduction course (MBSR) on well-being and academic attainment of sixth-form students. Mindfulness, 7(1), 105–114.
8.Bureau of Labor Statistics. (2015, June 24). American time use survey [News release]. Retrieved from https://www.bls.gov/news.release/archives/atus_06242015.htm.
9.Morris, A. S., Silk, J. S., Steinberg, L., Myers, S. S., & Robinson, L. R. (2007). The role of the family context in the development of emotion regulation. Social Development, 16(2), 361–388. http://doi.org/10.1111/j.1467-

9507.2007.00389.x.

Week11

1.Schiavon, C. C., Marchetti, E., Gurgel, L. G., Busnello, F. M., & Reppold, C. T. (2016). Optimism and hope in chronic disease: A systematic review. Frontiers in Psychology, 7.

2.DuBois, C. M., Beach, S. R., Kashdan, T. B., Nyer, M. B., Park, E. R., Celano, C. M., & Huffman, J. C. (2012). Positive psychological attributes and cardiac outcomes: Associations, mechanisms, and interventions. Psychosomatics, 53(4), 303–318.

3.Conversano, C., Rotondo, A., Lensi, E., Della Vista, O., Arpone, F., & Reda, M. A. (2010). Optimism and its impact on mental and physical well-being. Clinical Practice and Epidemiology in Mental Health, 6, 25.

Kleinke, C. L., Peterson, T. R., & Rutledge, T. R. (1998). Effects of self-generated facial expressions on mood. Journal of Personality and Social Psychology, 74(1)

Week12

1.Mann, M. M., Hosman, C. M., Schaalma, H. P., & De Vries, N. K. (2004). Self-esteem in a broad-spectrum approach for mental health promotion. Health Education Research, 19(4), 357–372.

2.Brummelman, E., Thomaes, S., Nelemans, S. A., De Castro, B. O., Overbeek, G., & Bushman, B. J. (2015). Origins of narcissism in children. Proceedings of the National Academy of Sciences, 112(12), 3659–3662.

3.van Scheppingen, M. A., Denissen, J., Chung, J., Tambs, K., & Bleidorn, W. (2017, August 10). Self-esteem and relationship satisfaction during the transition to motherhood. Journal of Personality and Social Psychology. doi: 10.1037/pspp0000156.

4.Briñol, P., Gascó, M., Petty, R. E., & Horcajo, J. (2013). Treating thoughts as material objects can increase or decrease their impact on evaluation. Psychological Science, 24(1), 41–47.

Week13

1.Salovey, P., & Mayer, J. D. (1990). Emotional intelligence. Imagination, Cognition and Personality, 9(3), 185–211.

2.Martins, A., Ramalho, N., & Morin, E. (2010). A comprehensive meta-analysis of the relationship between emotional intelligence and health. Personality and Individual Differences, 49(6), 554–564.

3.Chamorro-Premuzic, T., Bennett, E., & Furnham, A. (2007). The happy personality: Mediational role of trait emotional intelligence. Personality and Individual Differences, 42(8), 1633–1639.

4.Lopes, P. N., Grewal, D., Kadis, J., Gall, M., & Salovey, P. (2006). Evidence that emotional intelligence is related to job performance and affect and attitudes at work. Psicothema, 18.

5.Brackett, M. A., Rivers, S. E., & Salovey, P. (2011). Emotional intelligence: Implications for personal, social, academic, and workplace success. Social and Personality Psychology Compass, 5(1), 88–103.

6. 上記３を参照。

7.Brackett, M. A., Palomera, R., Mojsa-Kaja, J., Reyes, M. R., & Salovey, P. (2010). Emotion regulation ability, burnout, and job satisfaction among British secondary-school teachers. Psychology in the Schools, 47(4), 406–417.

8.Graziano, P. A., Reavis, R. D., Keane, S. P., & Calkins, S. D. (2007). The role of emotion regulation in children's early academic success. Journal of School Psychology, 45(1), 3–19.

9. 上記２を参照。

10.Eggum, N. D., Eisenberg, N., Kao, K., Spinrad, T. L., Bolnick, R., Hofer, C., . . . Fabricius, W. V. (2011). Emotion understanding, theory of mind, and prosocial orientation: Relations over time in early childhood. The Journal of Positive Psychology, 6(1), 4–16.

11.Brackett, M. A., Mayer, J. D., & Warner, R. M. (2004). Emotional intelligence and its relation to everyday behaviour. Personality and Individual Differences, 36(6), 1387–1402.

12.Chamorro-Premuzic, T. (2013, May 29). Can you really improve your emotional intelligence? Harvard Business Review.

13.Brackett, M. A., Warner, R. M., & Bosco, J. S. (2005). Emotional intelligence and relationship quality among couples. Personal Relationships, 12(2), 197–212.

14.Volling, B. L., McElwain, N. L., Notaro, P. C., & Herrera, C. (2002). Parents' emotional availability and infant emotional competence: Predictors of parent-infant attachment and emerging self-regulation. Journal of Family Psychology, 16(4), 447.

15.Morris, A. S., Silk, J. S., Steinberg, L., Myers, S. S., & Robinson, L. R. (2007). The role of the family context in the development of emotion regulation. Social Development, 16(2), 361–388. http://doi.org/10.1111/j.1467-9507.2007.00389.x.

Week14

1.Reading "Can Help Reduce Stress." (2009, March 30). Telegraph. Retrieved from http://www.telegraph.co.uk/news/health/news/5070874/Reading-can-help-reduce-stress.html.

2.Hutton, J. S., Horowitz-Kraus, T., Mendelsohn, A. L., DeWitt, T., Holland, S. K., & C-MIND Authorship Consortium. (2015). Home reading environment and brain activation in preschool children listening to stories.

Pediatrics, 136(3), 466–478.
3.Sticht, T. G. (2011). Getting it right from the start: The case for early parenthood education. American Educator, 35(3), 35–39.
4.Scholastic. (2013). Kids and family reading report: 4th edition. Retrieved from http://mediaroom.scholastic.com/kfrr.
5.Scholastic. (2016). Kids and family reading report (6th ed.). Retrieved from http://www.scholastic.com/readingreport/files/Scholastic-KFRR-6ed-2017.pdf.
Week15
1.McMains, S., & Kastner, S. (2011). Interactions of top-down and bottom-up mechanisms in human visual cortex. Journal of Neuroscience, 31(2), 587–597. http://doi.org/10.1523/JNEUROSCI.3766-10.2011.
2.Arnold, J. E., Graesch, A. P., Ragazzini, E., & Ochs, E. (2012). Life at home in the twenty-first century: 32 families open their doors. Los Angeles, CA: Cotsen Institute of Archaeology Press.
3.Dush, C. M. K., Schmeer, K. K., & Taylor, M. (2013). Chaos as a social determinant of child health: Reciprocal associations? Social Science & Medicine, 95, 69–76.
4.Eller, K. (2016, June 6). Health benefits of a clean house. Retrieved from http://www.ahchealthenews.com/2016/06/06/staying-fit-cleaning-house/.
5.Johnson, A. D., Martin, A., Brooks-Gunn, J., & Petrill, S. A. (2008). Order in the house! Associations among household chaos, the home literacy environment, maternal reading ability, and children's early reading. Merrill-Palmer Quarterly (Wayne State University Press), 54(4), 445.
6. 上記２を参照。
Week16
1.Swing, E. L., Gentile, D. A., Anderson, C. A., & Walsh, D. A. (2010). Television and video game exposure and the development of attention problems. Pediatrics, 126(2), 214–221.
2.Lillard, A. S., & Peterson, J. (2011). The immediate impact of different types of television on young children's executive function. Pediatrics, 128(4), 644–649.
3.Martin, K. (2011). Electronic overload: The impact of excessive screen use on child and adolescent health and well-being. Perth, Western Australia: Department of Sport and Recreation.
4.Christakis, D. A., Zimmerman, F. J., DiGiuseppe, D. L., & McCarty, C. A. (2004). Early television exposure and subsequent attentional problems in children. Pediatrics, 113(4), 708–713.
5.Thomée, S. (2012). ICT use and mental health in young adults: Effects of computer and mobile phone use on stress, sleep disturbances, and symptoms of depression. University of Gothenburg.
6. 上記３を参照。
7.De Jong, E., Visscher, T. L. S., HiraSing, R. A., Heymans, M. W., Seidell, J. C., & Renders, C. M. (2013). Association between TV viewing, computer use and overweight, determinants and competing activities of screen time in 4- to 13-year-old children. International Journal of Obesity, 37(1), 47–53.
8.Richards, R., McGee, R., Williams, S. M., Welch, D., & Hancox, R. J. (2010). Adolescent screen time and attachment to parents and peers. Archives of Pediatrics & Adolescent Medicine, 164(3), 258–262.
Week17
1.Goyal, M., Singh, S., Sibinga, E. M., Gould, N. F., Rowland-Seymour, A., Sharma, R., . . . Ranasinghe, P. D. (2014). Meditation programs for psychological stress and well-being: A systematic review and meta-analysis. JAMA Internal Medicine, 174(3), 357–368.
2.Black, D. S., & Slavich, G. M. (2016). Mindfulness meditation and the immune system: A systematic review of randomized controlled trials. Annals of the New York Academy of Sciences, 1373(1), 13–24.
3.Flook, L., Smalley, S. L., Kitil, M. J., Galla, B. M., Kaiser-Greenland, S., Locke, J., . . . Kasari, C. (2010). Effects of mindful awareness practices on executive functions in elementary school children. Journal of Applied School Psychology, 26(1), 70–95.
4.Holzel, B. K., Carmody, J., Vangel, M., Congleton, C., Yerramsetti, S. M., Gard, T., & Lazar, S. W. (2011). Mindfulness practice leads to increases in regional brain gray matter density. Psychiatry Research: Neuroimaging, 191(1), 36–43.
5.Fox, K. C., Nijeboer, S., Dixon, M. L., Floman, J. L., Ellamil, M., Rumak, S. P., . . . Christoff, K. (2014). Is meditation associated with altered brain structure? A systematic review and meta-analysis of morphometric neuroimaging in meditation practitioners. Neuroscience & Biobehavioral Reviews, 43, 48–73.
Week18
1.McFadden, S. H., & Basting, A. D. (2010). Healthy aging persons and their brains: Promoting resilience through creative engagement. Clinics in Geriatric Medicine, 26(1), 149–161.
2.Americans for the Arts. (Updated April 2015). Improved academic performance for students with high level of arts involvement. Retrieved on 6/15/17.

Week19
1.Locke, E. A., & Latham, G. P. (2006). New directions in goal-setting theory. Current Directions in Psychological Science, 15(5), 265–268.
2.Morisano, D., Hirsh, J. B., Peterson, J. B., Pihl, R. O., & Shore, B. M. (2010). Setting, elaborating, and reflecting on personal goals improves academic performance. Journal of Applied Psychology, 95(2), 255.
3.Clark, D., Gill, D., Prowse, V., & Rush, M. (2017). Using Goals To Motivate College Students: Theory and Evidence From Field Experiments (No. w23638). National Bureau of Economic Research.
Week20
1.Biswas-Diener, R., & Kashdan, T. B. (2013, July 2). What happy people do differently. Psychology Today. Retrieved from https://www.psychologytoday.com/articles/201307/what-happy-people-do-differently.
2.Green, J. (1997). Risk and the construction of social identity: Children's talk about accidents. Sociology of Health & Illness, 19(4), 457–479.
3.Gerber, M., & Johnson, A. (2002). Your self-confident baby: How to encourage your child's natural abilities from the very start. New York, NY: Wiley.
Week21
1.Hammer, M. S., Swinburn, T. K., & Neitzel, R. L. (2014). Environmental noise pollution in the United States: Developing an effective public health response. Environmental Health Perspectives, 122(2), 115.
2.Kim, R. (2007). Burden of disease from environmental noise. In Proceedings of the International Workshop on Combined Environmental Exposure: Noise, Air Pollutants and Chemicals, Ispra, Italy.
3.Tiesler, C. M., Birk, M., Thiering, E., Kohlböck, G., Koletzko, S., Bauer, C. P., . . . Heinrich, J. (2013). Exposure to road traffic noise and children's behavioural problems and sleep disturbance: Results from the GINIplus and LISAplus studies. Environmental Research, 123, 1–8.
4.Cohen, S., Glass, D. C., & Singer, J. E. (1973). Apartment noise, auditory discrimination, and reading ability in children. Journal of Experimental Social Psychology, 9(5), 407–422.
5.Schmidt, M. E., Pempek, T. A., Kirkorian, H. L., Lund, A. F., & Anderson, D. R. (2008). The effects of background television on the toy play behavior of very young children. Child Development, 79(4), 1137–1151.
6.Kirkorian, H. L., Pempek, T. A., Murphy, L. A., Schmidt, M. E., & Anderson, D. R. (2009). The impact of background television on parent-child interaction. Child Development, 80(5), 1350–1359.
7.Lapierre, M. A., Piotrowski, J. T., & Linebarger, D. L. (2012). Background television in the homes of US children. Pediatrics, 130(5), 839–846.
8.Bernardi, L., Porta, C., & Sleight, P. (2006). Cardiovascular, cerebrovascular, and respiratory changes induced by different types of music in musicians and non-musicians: The importance of silence. Heart, 92(4), 445–452. http://doi.org/10.1136/hrt.2005.064600.
9.Kirste, I., Nicola, Z., Kronenberg, G., Walker, T. L., Liu, R. C., & Kempermann, G. (2015). Is silence golden? Effects of auditory stimuli and their absence on adult hippocampal neurogenesis. Brain Structure & Function, 220(2), 1221–1228. http://doi.org/10.1007/s00429-013-0679-3.
Week22
1.Gruber, M. J., Gelman, B. D., & Ranganath, C. (2014). States of curiosity modulate hippocampus-dependent learning via the dopaminergic circuit. Neuron, 84(2), 486–496.
2.Park, D. C., Lodi-Smith, J., Drew, L., Haber, S., Hebrank, A., Bischof, G. N., & Aamodt, W. (2014). The impact of sustained engagement on cognitive function in older adults: The synapse project. Psychological Science, 25(1), 103–112. http://doi.org/10.1177/0956797613499592.
3.Gottfried, A. E., Preston, K. S. J., Gottfried, A. W., Oliver, P. H., Delany, D. E., & Ibrahim, S. M. (2016). Pathways from parental stimulation of children's curiosity to high school science course accomplishments and science career interest and skill. International Journal of Science Education, 38(12), 1972–1995.
4.Mindset Works. (n.d.). Teacher practices: How praise and feedback impact student outcomes. Retrieved from https://www.mindsetworks.com/science/Teacher-Practices.
Week23
1.Bridges, S., & Disney, R. (2010). Debt and depression. Journal of Health Economics, 29(3), 388–403.
2.Sweet, E., Nandi, A., Adam, E., & McDade, T. (2013). The high price of debt: Household financial debt and its impact on mental and physical health. Social Science & Medicine, 91, 94–100. http://doi.org/10.1016/j.socscimed.2013.05.009.
3.Kim, J., & Chatterjee, S. (2013). Childhood financial socialization and young adults' financial management. Journal of Financial Counseling and Planning, 24(1), 61.
Week24
1.Marian, V., & Shook, A. (2012, September). The cognitive benefits of being bilingual. In W. Donway (Ed.), Cerebrum: The Dana forum on brain science (Vol. 2012). Collingdale, PA: Diane Publishing.

2.Tadmor, C. T., Galinsky, A. D., & Maddux, W. W. (2012, September). Getting the most out of living abroad: Biculturalism and integrative complexity as key drivers of creative and professional success. Journal of Personality and Social Psychology, 103(3), 520–42. doi:10.1037/a0029360.
3.American Council on the Teaching of Foreign Languages (ACTFL). (n.d.). References for cognitive question: There is evidence that early language learning improves cognitive abilities. Retrieved from https://www.actfl.org/advocacy/what-the-research-shows/references-cognitive.
4. 上記２を参照。
5. 上記１を参照。
6. 上記２を参照。
7.Leung, A. K. Y., Maddux, W. W., Galinsky, A. D., & Chiu, C. Y. (2008). Multicultural experience enhances creativity: The when and how. American Psychologist, 63(3), 169.
8.Cheng, E. (2017, April 30). Here's why earnings are so outstanding even though the US economy is barely growing. Market Insider, CNBC. Retrieved from https://www.cnbc.com/2017/04/30/heres-why-earnings-are-so-outstanding-even-while-the-us-economy-is-barely-growing.html.
Week25
1.Division of Sleep Medicine, Harvard Medical School. (2007, December 18). Natural patterns of sleep. Retrieved from http://healthysleep.med.harvard.edu/healthy/science/what/sleep-patterns-rem-nrem.
2.Faraut, B., Boudjeltia, K. Z., Vanhamme, L., & Kerkhofs, M. (2012). Immune, inflammatory and cardiovascular consequences of sleep restriction and recovery. Sleep Medicine Reviews, 16(2), 137–149.
3.Jones, J. M. (2013, December 19). In U.S., 40 percent gets less than recommended amount of sleep. Well-Being, Gallup News. Retrieved from http://news.gallup.com/poll/166553/less-recommended-amount-sleep.aspx.
4.Beebe, D. W. (2011). Cognitive, behavioral, and functional consequences of inadequate sleep in children and adolescents. Pediatric Clinics of North America, 58(3), 649–665. http://doi.org/10.1016/j.pcl.2011.03.002.
5.Wong, M. M., Brower, K. J., & Zucker, R. A. (2009). Childhood sleep problems, early onset of substance use and behavioral problems in adolescence. Sleep Medicine, 10(7), 787–796. http://doi.org/10.1016/j.sleep.2008.06.015.
6.Gregory, A. M., Van der Ende, J., Willis, T. A., & Verhulst, F. C. (2008). Parent-reported sleep problems during development and self-reported anxiety/depression, attention problems, and aggressive behavior later in life. Archives of Pediatrics & Adolescent Medicine, 162(4), 330–335.
7.Gregory, A. M., Eley, T. C., O'Connor, T. G., & Plomin, R. (2004). Etiologies of associations between childhood sleep and behavioral problems in a large twin sample. Journal of the American Academy of Child & Adolescent Psychiatry, 43(6), 744–751.
8.Roane, B. M., & Taylor, D. J. (2008). Adolescent insomnia as a risk factor for early adult depression and substance abuse. Sleep, 31(10), 1351–1356.
9.Altevogt, B. M., & Colten, H. R. (Eds.). (2006). Sleep disorders and sleep deprivation: An unmet public health problem. Washington, DC: National Academies Press.
10.Heid, M. (2016, July 19). What's the best time to sleep? You asked. Health, Time. Retrieved from http://time.com/3183183/you-asked-whats-the-ideal-time-to-go-to-sleep/.
11.Hirshkowitz, M., Whiton, K., Albert, S. M., Alessi, C., Bruni, O., DonCarlos, L., . . . Neubauer, D. N. (2015). National Sleep Foundation's sleep time duration recommendations: Methodology and results summary. Sleep Health, 1(1), 40–43.
12.Uchida, S., Shioda, K., Morita, Y., Kubota, C., Ganeko, M., & Takeda, N. (2012). Exercise effects on sleep physiology. Frontiers in Neurology, 3, 48.
13.Brand, S., Kalak, N., Gerber, M., Kirov, R., Pühse, U., & Holsboer-Trachsler, E. (2014). High self-perceived exercise exertion before bedtime is associated with greater objectively assessed sleep efficiency. Sleep Medicine, 15(9), 1031–1036.
Week26
1.Jéquier, E., & Constant, F. (2010). Water as an essential nutrient: The physiological basis of hydration. European Journal of Clinical Nutrition, 64(2), 115–123.
2.EFSA Panel on Dietetic Products, Nutrition and Allergies (NDA). (2011). Scientific opinion on the substantiation of health claims related to water and maintenance of normal physical and cognitive function (ID 1102, 1209, 1294, 1331), maintenance of normal thermoregulation (ID 1208) and "basic requirement of all living things" (ID 1207) pursuant to Article 13(1) of Regulation (EC) No 1924/2006. EFSA Journal, 9(4), 2075.
3.Shanley, L., Mittal, V., & Flores, G. (2013). Preventing dehydration-related hospitalizations: A mixed-methods study of parents, inpatient attendings, and primary care physicians. Hospital Pediatrics, 3(3), 204–211.
4.Academy of Nutrition and Dietetics. (2017, May 2). Water: How much do kids need? Retrieved from http://www.eatright.org/resource/fitness/sports-and-performance/hydrate-right/water-go-with-the-flow.

Week27

1.Martineau, A. R., Cates, C. J., Urashima, M., Jensen, M., Griffiths, A. P., Nurmatov, U., . . . Griffiths, C. J. (2016). Vitamin D for the management of asthma. Cochrane Database of Systematic Reviews, 8(CD011511). doi:10.1002/14651858.CD011511.pub2.

2.Penckofer, S., Kouba, J., Byrn, M., & Ferrans, C. E. (2010). Vitamin D and depression: Where is all the sunshine? Issues in Mental Health Nursing, 31(6), 385–393. http://doi.org/10.3109/01612840903437657.

3.OSU Linus Pauling Institute, Micronutrient Information Center. (2014, July). Vitamin D. Retrieved from http://lpi.oregonstate.edu/mic/vitamins/vitamin-D.

4.Gropper, S. S., & Smith, J. L. (2012). Advanced nutrition and human metabolism. Cengage Learning, 392.

5.Environmental Working Group. (n.d.). What's wrong with high SPF? Retrieved from http://www.ewg.org/sunscreen/report/whats-wrong-with-high-spf/.

Week28

1.Ellyn Satter Institute. (n.d.). The Satter eating competence model (ecSatter). Retrieved from http://www.ellynsatterinstitute.org/other/ecsatter.php.

2.Satter, E. M. (2007). Eating competence: definition and evidence for the Satter Eating Competence Model. Journal of Nutrition Education and Behavior, 39, S142-S153.

3.Christian, M. S., Evans, C. E., Hancock, N., Nykjaer, C., & Cade, J. E. (2013). Family meals can help children reach their 5 a day: A cross-sectional survey of children's dietary intake from London primary schools. Journal of Epidemiology and Community Health, 67(4), 332–338.

4.Birch, L. L., Zimmerman, S. I., & Hind, H. (1980). The influence of social-affective context on the formation of children's food preferences. Child Development, 856–861.

5.Birch, L. L., Marlin, D. W., & Rotter, J. (1984). Eating as the "means" activity in a contingency: Effects on young children's food preference. Child Development, 431–439.

6.Newman, J., & Taylor, A. (1992). Effect of a means-end contingency on young children's food preferences. Journal of Experimental Child Psychology, 53(2), 200–216.

7.Kelder, S. H., Perry, C. L., Klepp, K. I., & Lytle, L. L. (1994). Longitudinal tracking of adolescent smoking, physical activity, and food choice behaviors. American Journal of Public Health, 84(7), 1121–1126.

8.Hill, A. J., Weaver, C., & Blundell, J. E. (1990). Dieting concerns of 10-year-old girls and their mothers. British Journal of Clinical Psychology, 29(3), 346–348.

9.Jarman, M., Ogden, J., Inskip, H., Lawrence, W., Baird, J., Cooper, C., . . . Barker, M. (2015). How do mothers manage their preschool children's eating habits and does this change as children grow older? A longitudinal analysis. Appetite, 95, 466–474.

Week29

1.Centers for Disease Control. (2015, June 4). Physical activity and health. Retrieved from https://www.cdc.gov/physicalactivity/basics/pa-health/index.htm.

2.Janssen, X., Basterfield, L., Parkinson, K. N., Pearce, M., Reilly, J. K., Adamson, A. J., & Reilly, J. J. (2015). Determinants of changes in sedentary time and breaks in sedentary time among 9 and 12 year old children. Preventive Medicine Reports, 2, 880–885.

3.Liu, M., Wu, L., & Ming, Q. (2015). How does physical activity intervention improve self-esteem and self-concept in children and adolescents? Evidence from a meta-analysis. PloS One, 10(8), e0134804.

4.Zahl, T., Steinsbekk, S., & Wichstrøm, L. (2017). Physical activity, sedentary behavior, and symptoms of major depression in middle childhood. Pediatrics, e20161711.

5.Zecevic, C. A., Tremblay, L., Lovsin, T., & Michel, L. (2010). Parental influence on young children's physical activity. International Journal of Pediatrics, 2010. https://www.cdc.gov/physicalactivity/basics/pa-health/index.htm.

6.Scudder, M. R., Federmeier, K. D., Raine, L. B., Direito, A., Boyd, J. K., & Hillman, C. H. (2014). The association between aerobic fitness and language processing in children: Implications for academic achievement. Brain and Cognition, 87, 140–152.

7.Smith, L., Gardner, B., Aggio, D., & Hamer, M. (2015). Association between participation in outdoor play and sport at 10 years old with physical activity in adulthood. Preventive Medicine, 74, 31–35

Week30

1.Gee, L. C., & Ahluwalia, A. (2016). Dietary nitrate lowers blood pressure: Epidemiological, pre-clinical experimental and clinical trial evidence. Current Hypertension Reports, 18(2), 1–14.

2.Kapil, V., Khambata, R. S., Robertson, A., Caulfield, M. J., & Ahluwalia, A. (2015). Dietary nitrate provides sustained blood pressure lowering in hypertensive patients. Hypertension, 65(2), 320–327.

3.Lidder, S., & Webb, A. J. (2013). Vascular effects of dietary nitrate (as found in green leafy vegetables and beetroot) via the nitrate-nitrite-nitric oxide pathway. British Journal of Clinical Pharmacology, 75(3), 677–696. http://doi.org/10.1111/j.1365-2125.2012.04420.x.

4.Webb, A. J., Patel, N., Loukogeorgakis, S., Okorie, M., Aboud, Z., Misra, S., . . . MacAllister, R. (2008). Acute blood pressure lowering, vasoprotective, and antiplatelet properties of dietary nitrate via bioconversion to nitrite. Hypertension, 51(3), 784–790.

Week31

1.Ramberg, J., & McAnalley, B. (2002). From the farm to the kitchen table: A review of the nutrient losses in foods. GlycoScience & Nutrition, 3(5), 1–12.

Week32

1.Kardan, O., Gozdyra, P., Misic, B., Moola, F., Palmer, L. J., Paus, T., & Berman, M. G. (2015). Neighborhood greenspace and health in a large urban center. Scientific Reports, 5, 11610.

2.Donovan, G. H., Butry, D. T., Michael, Y. L., Prestemon, J. P., Liebhold, A. M., Gatziolis, D., & Mao, M. Y. (2013). The relationship between trees and human health: Evidence from the spread of the emerald ash borer. American Journal of Preventive Medicine, 44(2), 139–145.

3.Thompson, C. W., Roe, J., Aspinall, P., Mitchell, R., Clow, A., & Miller, D. (2012). More green space is linked to less stress in deprived communities: Evidence from salivary cortisol patterns. Landscape and Urban Planning, 105(3), 221–229.

4.Bratman, G. N., Daily, G. C., Levy, B. J., & Gross, J. J. (2015). The benefits of nature experience: Improved affect and cognition. Landscape and Urban Planning, 138, 41–50.

5.Charles, C., & Wheeler, K. (2012). Children & nature worldwide: An exploration of children's experiences of the outdoors and nature with associated risks and benefits. Children and Nature Network and the IUCN's Commission on Education and Communication.

6.Taylor, A. F., Kuo, F. E., & Sullivan, W. C. (2001). Coping with ADD: The surprising connection to green play settings. Environment and Behavior, 33(1), 54–77.

7.Institute for Communications Technology Management. (2013). How much media? 2013 report on American consumers. Retrieved from https://business.tivo.com/content/dam/tivo/resources/tivo-HMM-Consumer-Report-2013_Release.pdf.

8.Kardan, O., Gozdyra, P., Misic, B., Moola, F., Palmer, L. J., Paus, T., & Berman, M. G. (2015). Neighborhood greenspace and health in a large urban center. Scientific Reports, 5, 11610.

Week33

1.Benisi-Kohansal, S., Saneei, P., Salehi-Marzijarani, M., Larijani, B., & Esmaillzadeh, A. (2016). Whole-grain intake and mortality from all causes, cardiovascular disease, and cancer: A systematic review and dose-response meta-analysis of prospective cohort studies. Advances in Nutrition: An International Review Journal, 7(6), 1052–1065.

2.de Munter, J. S., Hu, F. B., Spiegelman, D., Franz, M., & van Dam, R. M. (2007). Whole grain, bran, and germ intake and risk of type 2 diabetes: A prospective cohort study and systematic review. PLoS Med, 4(8), e261.

3.United European Gastroenterology. (2016, October 17). UEG Week: New study links protein in wheat to the inflammation of chronic health conditions [Press release]. Retrieved from https://www.ueg.eu/press/releases/ueg-press-release/article/new-study-links-protein-in-wheat-to-the-inflammation-of-chronic-health-conditions/.

4.Schuppan, D., Pickert, G., Ashfaq-Khan, M., & Zevallos, V. (2015). Non-celiac wheat sensitivity: Differential diagnosis, triggers and implications. Best Practice & Research Clinical Gastroenterology, 29(3), 469–476.

5.Zevallos, V. F., Raker, V., Tenzer, S., Jimenez-Calvente, C., Ashfaq-Khan, M., Rüssel, N., . . . Schuppan, D. (2017). Nutritional wheat amylase-trypsin inhibitors promote intestinal inflammation via activation of myeloid cells. Gastroenterology, 152(5), 1100–1113.

Week34

1.Environmental Protection Agency. (2004). Risk assessment evaluation for concentrated animal feeding operations. Retrieved from https://www.epa.gov/npdes/animal-feeding-operations-afos#AFO on 7/15/17

2.Sapkota, A. R., Lefferts, L. Y., McKenzie, S., & Walker, P. (2007). What do we feed to food-production animals? A review of animal feed ingredients and their potential impacts on human health. Environmental Health Perspectives, 115(5), 663–670. http://doi.org/10.1289/ehp.9760.

3.Nachman, K. E., Baron, P. A., Raber, G., Francesconi, K. A., Navas-Acien, A., & Love, D. C. (2013). Roxarsone, inorganic arsenic, and other arsenic species in chicken: A U.S.-based market basket sample. Environmental Health Perspectives, 121(7), 818–824. http://doi.org/10.1289/ehp.1206245.

4.European Commission. (n.d.). Hormones in meat. Retrieved from https://ec.europa.eu/food/safety/chemical_safety/meat_hormones_en.

5.Liou, A. P., & Turnbaugh, P. J. (2012). Antibiotic exposure promotes fat gain. Cell Metabolism, 16(4), 408–410. http://doi.org/10.1016/j.cmet.2012.09.009.

6.Siemon, C. E., Bahnson, P. B., & Gebreyes, W. A. (2007). Comparative investigation of prevalence and antimicrobial resistance of Salmonella between pasture and conventionally reared poultry. Avian Diseases, 51(1), 112–117.

7.Eamens, G. J., Hornitzky, M. A., Walker, K. H., Hum, S. I., Vanselow, B. A., Bailey, G. D., . . . Gill, P. A. (2003). A study of the foodborne pathogens: Campylobacter, Listeria and Yersinia in faeces from slaughter-age cattle and sheep in Australia. Communicable Diseases Intelligence Quarterly Report, 27(2), 249.

Week35

1.Kay, V. R., Bloom, M. S., & Foster, W. G. (2014). Reproductive and developmental effects of phthalate diesters in males. Critical Reviews in Toxicology, 44(6), 467–498.

2.Poursafa, P., Ataei, E., & Kelishadi, R. (2015). A systematic review on the effects of environmental exposure to some organohalogens and phthalates on early puberty. Journal of Research in Medical Sciences 20(6), 613–618. http://doi.org/10.4103/1735-1995.165971.

3.Yang, C. Z., Yaniger, S. I., Jordan, V. C., Klein, D. J., & Bittner, G. D. (2011). Most plastic products release estrogenic chemicals: A potential health problem that can be solved. Environmental Health Perspectives, 119(7), 989–996. http://doi.org/10.1289/ehp.1003220.

4.Westervelt, A. (2015, February 10). Phthalates are everywhere, and the health risks are worrying. How bad are they really? Guardian. Retrieved from https://www.theguardian.com/lifeandstyle/2015/feb/10phthalates-plastics-chemicals-research-analysis.

5.Environmental Working Group. (2015, May 1). Poisoned legacy. Retrieved from http://www.ewg.org/research/poisoned-legacy/executive-summary.

Week36

1.Nguyen, S., Choi, H. K., Lustig, R. H., & Hsu, C. (2009). Sugar sweetened beverages, serum uric acid, and blood pressure in adolescents. Journal of Pediatrics, 154(6), 807–813. http://doi.org/10.1016/j.jpeds.2009.01.015.

2. 同上

3.Knüppel, A., Shipley, M. J., Llewellyn, C. H., & Brunner, E. J. (2017). Sugar intake from sweet food and beverages, common mental disorder and depressi on: Prospective findings from the Whitehall II study. Scientific Reports, 7.

4.Scragg, R. K., McMichael, A. J., & Baghurst, P. A. (1984). Diet, alcohol, and relative weight in gall stone disease: A case-control study. British Medical Journal (Clinical Research ed.), 288(6424), 1113–1119.

5.Thornley, S., Stewart, A., Marshall, R., & Jackson, R. (2011). Per capita sugar consumption is associated with severe childhood asthma: An ecological study of 53 countries. Primary Care Respiratory Journal, 20(1), 75–78.

6.Reinehr, T. (2013). Type 2 diabetes mellitus in children and adolescents. World Journal of Diabetes, 4(6), 270–281. http://doi.org/10.4239/wjd.v4.i6.270.

7.Benton, D., Maconie, A., & Williams, C. (2007). The influence of the glycaemic load of breakfast on the behaviour of children in school. Physiology & Behavior, 92(4), 717–724.

8.O'Neil, A., Quirk, S. E., Housden, S., Brennan, S. L., Williams, L. J., Pasco, J. A., . . . Jacka, F. N. (2014). Relationship between diet and mental health in children and adolescents: A systematic review. American Journal of Public Health, 104(10), e31–e42. http://doi.org/10.2105/AJPH.2014.302110.

9.Steele, E. M., Baraldi, L. G., da Costa Louzada, M. L., Moubarac, J. C., Mozaffarian, D., & Monteiro, C. A. (2016). Ultra-processed foods and added sugars in the US diet: Evidence from a nationally representative cross-sectional study. BMJ Open, 6(3), e009892.

10.American Heart Association. (2016, August 22). Children should eat less than 25 grams of added sugars daily. Retrieved from http://newsroom.heart.org/news/children-should-eat-less-than-25-grams-of-added-sugars-daily.

11.Kelder, S. H., Perry, C. L., Klepp, K. I., & Lytle, L. L. (1994). Longitudinal tracking of adolescent smoking, physical activity, and food choice behaviors. American Journal of Public Health, 84(7), 1121–1126.

12.Schmitz, A. (Ed.). (2002). Sugar and related sweetener markets: International perspectives. Wallingford, Oxfordshire, UK: Centre for Agriculture and Biosciences International (CABI).

13.Ahmed, S. H., Guillem, K., & Vandaele, Y. (2013). Sugar addiction: Pushing the drug-sugar analogy to the limit. Current Opinion in Clinical Nutrition & Metabolic Care, 16(4), 434–439.

14.Harvard Medical School. (2016, December 12). Artificial sweeteners: Sugar-free, but at what cost? Retrieved from https://www.health.harvard.edu/blog/artificial-sweeteners-sugar-free-but-at-what-cost-201207165030.

Week37

1.Kalmijn, S. V., Van Boxtel, M. P. J., Ocke, M., Verschuren, W. M. M., Kromhout, D., & Launer, L. J. (2004). Dietary intake of fatty acids and fish in relation to cognitive performance at middle age. Neurology, 62(2), 275–280.

2.Chung, W. L., Chen, J. J., & Su, H. M. (2008). Fish oil supplementation of control and (n-3) fatty acid-deficient male rats enhances reference and working memory performance and increases brain regional docosahexaenoic acid levels. Journal of Nutrition, 138(6), 1165–1171.

3.Easton, M. D. L., Luszniak, D., & Von der Geest, E. (2002). Preliminary examination of contaminant loadings in farmed salmon, wild salmon and commercial salmon feed. Chemosphere, 46(7), 1053–1074.

4.Oken, E., Radesky, J. S., Wright, R. O., Bellinger, D. C., Amarasiriwardena, C. J., Kleinman, K. P., . . . Gillman, M.

W. (2008). Maternal fish intake during pregnancy, blood mercury levels, and child cognition at age 3 years in a US cohort. American Journal of Epidemiology, 167(10), 1171–1181.
5.Silbernagel, S. M., Carpenter, D. O., Gilbert, S. G., Gochfeld, M., Groth, E., Hightower, J. M., & Schiavone, F. M. (2011). Recognizing and preventing overexposure to methylmercury from fish and seafood consumption: Information for physicians. Journal of Toxicology, 2011, 983072. http://doi.org/10.1155/2011/983072.
Week38
1.Environmental Working Group. (2014, November 12). EWG's dirty dozen guide to food additives. Retrieved from http://www.ewg.org/research/ewg-s-dirty-dozen-guide-food-additives.
2.Jeong, S. H., Kim, B. Y., Kang, H. G., Ku, H. O., & Cho, J. H. (2005). Effects of butylated hydroxyanisole on the development and functions of reproductive system in rats. Toxicology, 208(1), 49–62.
3.Oishi, S. (2002). Effects of propyl paraben on the male reproductive system. Food and Chemical Toxicology, 40(12), 1807–1813.
4.Okubo, T., Yokoyama, Y., Kano, K., & Kano, I. (2001). ER-dependent estrogenic activity of parabens assessed by proliferation of human breast cancer MCF-7 cells and expression of ERα and PR. Food and Chemical Toxicology, 39(12), 1225–1232.
5.Smith, K. W., Souter, I., Dimitriadis, I., Ehrlich, S., Williams, P. L., Calafat, A. M., & Hauser, R. (2013). Urinary paraben concentrations and ovarian aging among women from a fertility center. Environmental Health Perspectives, 121(11-12), 1299.
6.American Academy of Pediatrics. (2008). ADHD and food additives revisited. AAP Grand Rounds, 19(2), 17.
Week39
1.Patterson, E., Wall, R., Fitzgerald, G. F., Ross, R. P., & Stanton, C. (2012). Health implications of high dietary omega-6 polyunsaturated fatty acids. Journal of Nutrition and Metabolism doi:10.1155/2012/539426.
2.Souza, R. G., Gomes, A. C., Naves, M. M., & Mota, J. F. (2015). Nuts and legume seeds for cardiovascular risk reduction: Scientific evidence and mechanisms of action. Nutrition Reviews, 73(6), 335–347.
3.Chowdhury, R., Warnakula, S., Kunutsor, S., Crowe, F., Ward, H. A., Johnson, L., . . . Khaw, K. T. (2014). Association of dietary, circulating, and supplement fatty acids with coronary risk: A systematic review and meta-analysis. Annals of Internal Medicine, 160(6), 398–406.
4.Dreon, D. M., Fernstrom, H. A., Campos, H., Blanche, P., Williams, P. T., & Krauss, R. M. (1998). Change in dietary saturated fat intake is correlated with change in mass of large low-density-lipoprotein particles in men. American Journal of Clinical Nutrition, 67(5), 828–836.
5.Hyman, M. (2016, March 30). Fat: What I got wrong, what I got right. Retrieved from http://drhyman.com/blog/2016/03/30/fat-what-i-got-wrong-what-i-got-right/.
6.Sachdeva, A., Cannon, C. P., Deedwania, P. C., LaBresh, K. A., Smith, S. C., Dai, D., . . . Fonarow, G. C. (2009). Lipid levels in patients hospitalized with coronary artery disease: An analysis of 136,905 hospitalizations in Get with the Guidelines [database]. American Heart Journal, 157(1), 111–117.
7.Hyman, M. (2016, April 6). Is coconut oil bad for your cholesterol? Retrieved from http://drhyman.com/blog/2016/04/06/is-coconut-oil-bad-for-your-cholesterol/.
Week40
1.De Groot, A. C., & Veenstra, M. (2010). Formaldehyde-releasers in cosmetics in the USA and in Europe. Contact Dermatitis, 62(4), 221–224.
2.Lefebvre, M. A., Meuling, W. J., Engel, R., Coroama, M. C., Renner, G., Pape, W., & Nohynek, G. J. (2012). Consumer inhalation exposure to formaldehyde from the use of personal care products/cosmetics. Regulatory Toxicology and Pharmacology, 63(1), 171–176.
3.Harley, K. G., Kogut, K., Madrigal, D. S., Cardenas, M., Vera, I. A., Meza-Alfaro, G., . . . Parra, K. L. (2016). Reducing phthalate, paraben, and phenol exposure from personal care products in adolescent girls: Findings from the HERMOSA intervention study. Environmental Health Perspectives, 124(10), 1600–1607. http://doi.org/10.1289/ehp.1510514.
4.Kunisue, T., Chen, Z., Buck Louis, G. M., Sundaram, R., Hediger, M. L., Sun, L., & Kannan, K. (2012). Urinary concentrations of benzophenone-type UV filters in US women and their association with endometriosis. Environmental Science & Technology, 46(8), 4624–4632.
5.Schlumpf, M., Kypke, K., Wittassek, M., Angerer, J., Mascher, H., Mascher, D., . ichtensteiger, W. (2010). Exposure patterns of UV filters, fragrances, parabens, phthalates, organochlor pesticides, PBDEs, and PCBs in human milk: Correlation of UV filters with use of cosmetics. Chemosphere, 81(10), 1171–1183.
6.Louis, G. M. B., Chen, Z., Kim, S., Sapra, K. J., Bae, J., & Kannan, K. (2015). Urinary concentrations of benzophenone-type ultraviolet light filters and semen quality. Fertility and Sterility, 104(4), 989–996.
7.European Commission. (2005, July 5). Permanent ban of phthalates: Commission hails long-term safety for children's toys [Press release]. Retrieved from http://europa.eu/rapid/press-release_IP-05-838_en.htm.

Week41

1.Muñoz-Quezada, M. T., Lucero, B. A., Barr, D. B., Steenland, K., Levy, K., Ryan, P. B., . . . Vega, C. (2013). Neurodevelopmental effects in children associated with exposure to organophosphate pesticides: A systematic review. Neurotoxicology, 39, 158–168. http://doi.org/10.1016/j.neuro.2013.09.003.

2.Benbrook, C. M., & Baker, B. P. (2014). Perspective on dietary risk assessment of pesticide residues in organic food. Sustainability, 6(6), 3552–3570.

3.Roberts, J. R., & Karr, C. J. (2012). Pesticide exposure in children. Pediatrics, 130(6), e1765-e1788.

Week42

1.García, M. C. (2016). Potentially preventable deaths among the five leading causes of death—United States, 2010 and 2014. Morbidity and Mortality Weekly Report, 65. Retrieved from https://www.cdc.gov/mmwr/volumes/65/wr/mm6545a1.htm.

2.Pew Research Center. (2014, January 15). The social life of health information. Retrieved from http://www.pewresearch.org/fact-tank/2014/01/15/the-social-life-of-health-information/.

Week43

1.Fleming-Dutra, K. E., Hersh, A. L., Shapiro, D. J., Bartoces, M., Enns, E. A., File, T. M., . . . Lynfield, R. (2016). Prevalence of inappropriate antibiotic prescriptions among US ambulatory care visits, 2010–2011. JAMA, 315(17), 1864–1873.

2.Granado-Villar, D., Cunill-De Sautu, B., & Granados, A. (2012, November). Acute gastroenteritis. Pediatrics in Review, 33(11), 487–495.

3.Stanford Medicine News Center. (2009, November 17). Common herbal medicine may prevent acetaminophen-related liver damage, says researcher. Retrieved from https://med.stanford.edu/news/all-news/2009/11/common-herbal-medicine-may-prevent-acetaminophen-related-liver-damage-says-researcher.html.

4.Byington, C. L., Ampofo, K., Stockmann, C., Adler, F. R., Herbener, A., Miller, T., . . . Pavia, A. T. (2015). Community surveillance of respiratory viruses among families in the Utah Better Identification of Germs-Longitudinal Viral Epidemiology (BIG-LoVE) study. Clinical Infectious Diseases, 61(8), 1217–1224.

Week44

1.Welsh, J. A., Sharma, A., Cunningham, S. A., & Vos, M. B. (2011). Consumption of added sugars and indicators of cardiovascular disease risk among US adolescents. Circulation, 123(3), 249–257.

2.Yang, Q., Zhang, Z., Gregg, E. W., Flanders, W. D., Merritt, R., & Hu, F. B. (2014). Added sugar intake and cardiovascular diseases mortality among US adults. JAMA Internal Medicine, 174(4), 516–524.

3.Chen, M., Li, Y., Sun, Q., Pan, A., Manson, J. E., Rexrode, K. M., . . . Hu, F. B. (2016). Dairy fat and risk of cardiovascular disease in 3 cohorts of US adults. American Journal of Clinical Nutrition, 104(5), 1209–1217.

4.Feskanich, D., Willett, W. C., & Colditz, G. A. (2003). Calcium, vitamin D, milk consumption, and hip fractures: A prospective study among postmenopausal women. American Journal of Clinical Nutrition, 77(2), 504–511.

5.Fenton, T. R., & Hanley, D. A. (2006). Calcium, dairy products, and bone health in children and young adults: An inaccurate conclusion. Pediatrics, 117(1), 259–260.

6.Lanou, A. J., & Barnard, N. D. (2006). Calcium, dairy products, and bone health in children and young adults: An inaccurate conclusion: In reply. Pediatrics, 117(1), 260–261.

7.Berkey, C. S., Rockett, H. R., Willett, W. C., & Colditz, G. A. (2005). Milk, dairy fat, dietary calcium, and weight gain: A longitudinal study of adolescents. Archives of Pediatrics & Adolescent Medicine, 159(6), 543–550.

Week45

1.Waldinger, R. (2015, December 23). Robert Waldinger: What makes a good life? Lessons from the longest study on happiness [Video]. Retrieved from https://www.ted.com/talksrobert_waldinger_what_makes_a_good_life_lessons_from_the_longest_study_on_happiness.

2.Umberson, D., & Karas Montez, J. (2010). Social relationships and health: A flashpoint for health policy. Journal of Health and Social Behavior, 51(1_suppl), S54–S66.

3.Mineo, L. (2017, April 11). Good genes are nice, but joy is better. Retrieved from https://news.harvard.edu/gazette/story/2017/04/over-nearly-80-years-harvard-study-has-been-showing-how-to-live-a-healthy-and-happy-life/.

4.James, B. D., Wilson, R. S., Barnes, L. L., & Bennett, D. A. (2011). Late-life social activity and cognitive decline in old age. Journal of the International Neuropsychological Society, 17(6), 998–1005.

5. Adams, R. E., Santo, J. B., & Bukowski, W. M. (2011). The presence of a best friend buffers the effects of negative experiences. Developmental Psychology, 47(6), 1786.

Week46

1.Silva, L. M., Schalock, M., Gabrielsen, K. R., Budden, S. S., Buenrostro, M., & Horton, G. (2015). Early intervention with a parent-delivered massage protocol directed at tactile abnormalities decreases severity of autism and improves child-to-parent interactions: A replication study. Autism Research and Treatment, 2015.

2.Field, T., Hernandez-Reif, M., Hart, S., Theakston, H., Schanberg, S., & Kuhn, C. (1999). Pregnant women

benefit from massage therapy. Journal of Psychosomatic Obstetrics & Gynecology, 20(1), 31–38.
3.Harris, M., Richards, K. C., & Grando, V. T. (2012). The effects of slow-stroke back massage on minutes of nighttime sleep in persons with dementia and sleep disturbances in the nursing home: A pilot study. Journal of Holistic Nursing, 30(4), 255–263.
4.Olff, M., Frijling, J. L., Kubzansky, L. D., Bradley, B., Ellenbogen, M. A., Cardoso, C., . . . van Zuiden, M. (2013). The role of oxytocin in social bonding, stress regulation and mental health: An update on the moderating effects of context and interindividual differences. Psychoneuroendocrinology, 38(9), 1883–1894.
5.Paloyelis, Y., Krahé, C., Maltezos, S., Williams, S. C., Howard, M. A., & Fotopoulou, A. (2016). The analgesic effect of oxytocin in humans: A double-blind, placebo-controlled cross-over study using laser-evoked potentials. Journal of Neuroendocrinology, 28(4).
6.Light, K. C., Grewen, K. M., & Amico, J. A. (2005). More frequent partner hugs and higher oxytocin levels are linked to lower blood pressure and heart rate in premenopausal women. Biological Psychology, 69(1), 5–21.
7.Rapaport, M. H., Schettler, P., & Bresee, C. (2012). A preliminary study of the effects of repeated massage on hypothalamic–pituitary–adrenal and immune function in healthy individuals: A study of mechanisms of action and dosage. Journal of Alternative and Complementary Medicine, 18(8), 789–797.

Week47

1.Konrath, S. H., O'Brien, E. H., & Hsing, C. (2011). Changes in dispositional empathy in American college students over time: A meta-analysis. Personality and Social Psychology Review, 15(2), 180–198.
2.The Children's Society. (2013). The good childhood report 2013. Retrieved from https://www.childrenssociety.org.uk/sites/default/files/tcs/good_childhood_report_2013_final.pdf.
3.Martino, S. C., Elliott, M. N., Corona, R., Kanouse, D. E., & Schuster, M. A. (2008). Beyond the "big talk": The roles of breadth and repetition in parent-adolescent communication about sexual topics. Pediatrics, 121(3), e612–e618.
4.Chaplin, T. M., Hansen, A., Simmons, J., Mayes, L. C., Hommer, R. E., & Crowley, M. J. (2014). Parental–adolescent drug use discussions: Physiological responses and associated outcomes. Journal of Adolescent Health, 55(6), 730–735.
5.Simons-Morton, B., Haynie, D. L., Crump, A. D., Eitel, P., & Saylor, K. E. (2001). Peer and parent influences on smoking and drinking among early adolescents. Health Education & Behavior, 28(1), 95–107.

Week48

1.Erickson, T. (2012, April 18). How mobile technologies are shaping a new generation. Harvard Business Review.
2.Common Sense Media. (2013). Zero to eight: Children's media use in America 2013. Retrieved from https://www.commonsensemedia.org/research/zero-to-eight-childrens-
3.Livingstone, S., & Smith, P. K. (2014). Annual research review: Harms experienced by child users of online and mobile technologies: The nature, prevalence and management of sexual and aggressive risks in the digital age. Journal of Child Psychology and Psychiatry, 55(6), 635–654.
4.Power, R. (2011). Child identity theft: New evidence indicates identity thieves are targeting children for unused Social Security numbers. Carnegie Mellon CyLab.

Week49

1.United Nations, Department of Economic and Social Affairs, Population Division (2016). International Migration Report 2015: Highlights (ST/ESA/SER.A/375).
2.Gallup. (2017, January 11). In US, more adults identifying as LGBT. http://www.gallup.com/poll/201731/lgbt-identification-rises.aspx.
3.Barak, M., & Levenberg, A. (2016). Flexible thinking in learning: An individual differences measure for learning in technology-enhanced environments. Computers & Education, 99, 39–52.
4.Hayes, S. C., Luoma, J. B., Bond, F. W., Masuda, A., & Lillis, J. (2006). Acceptance and commitment therapy: Model, processes and outcomes. Behaviour Research and Therapy, 44(1), 1–25.
5.Kashdan, T. B., & Rottenberg, J. (2010). Psychological flexibility as a fundamental aspect of health. Clinical Psychology Review, 30(7), 865–878.
6. 上記5を参照。
7.Martínez-Martí, M. L., & Ruch, W. (2014). Character strengths and well-being across the life span: Data from a representative sample of German-speaking adults living in Switzerland. Frontiers in Psychology, 5, 1253. http://doi.org/10.3389/fpsyg.2014.01253.
8.Richard, O., McMillan, A., Chadwick, K., & Dwyer, S. (2003). Employing an innovation strategy in racially diverse workforces: Effects on firm performance. Group & Organization Management, 28(1), 107–126.
9.Bassett-Jones, N. (2005). The paradox of diversity management, creativity and innovation. Creativity and Innovation Management, 14(2), 169–175.
10.Metzler, C. (2009). Teaching children about diversity. PBS Parents. http://www.pbs.org/parents/experts/archive/2009/02/teaching-children-about-divers.html.

Week50
1.Ouweneel, E., Le Blanc, P. M., & Schaufeli, W. B. (2014). On being grateful and kind: Results of two randomized controlled trials on study-related emotions and academic engagement. Journal of Psychology, 148(1), 37–60.
2.Layous, K., Nelson, S. K., Oberle, E., Schonert-Reichl, K. A., & Lyubomirsky, S. (2012). Kindness counts: Prompting prosocial behavior in preadolescents boosts peer acceptance and well-being. PLoS One, 7(12), e51380.
3.Gutkowska, J., & Jankowski, M. (2012). Oxytocin revisited: Its role in cardiovascular regulation. Journal of Neuroendocrinology, 24(4), 599–608.
4.Szeto, A., Nation, D. A., Mendez, A. J., Dominguez-Bendala, J., Brooks, L. G., Schneiderman, N., & McCabe, P. M. (2008). Oxytocin attenuates NADPH-dependent superoxide activity and IL-6 secretion in macrophages and vascular cells. American Journal of Physiology-Endocrinology and Metabolism, 295(6), E1495–E1501.
5.Garner, P. W. (2006). Prediction of prosocial and emotional competence from maternal behavior in African American preschoolers. Cultural Diversity and Ethnic Minority Psychology, 12(2), 179.
6.Hastings, P. D., McShane, K. E., Parker, R., & Ladha, F. (2007). Ready to make nice: Parental socialization of young sons' and daughters' prosocial behaviors with peers. Journal of Genetic Psychology, 168(2), 177–200.
Week51
1.Thoits, P. A., & Hewitt, L. N. (2001). Volunteer work and well-being. Journal of Health and Social Behavior, 115–131.
2.Sneed, R. S., & Cohen, S. (2013). A prospective study of volunteerism and hypertension risk in older adults. Psychology and Aging, 28(2), 578.
3.Office of Research & Policy Development, Corporation for National & Community Service (US). (2007). The health benefits of volunteering: A review of recent research. Retrieved from https://www.nationalservice.gov/pdf/07_0506_hbr.pdf.
4.Sabin, E. P. (1993). Social relationships and mortality among the elderly. Journal of Applied Gerontology, 12(1), 44–60.
5.Carlo, G., Crockett, L. J., Wilkinson, J. L., & Beal, S. J. (2011). The longitudinal relationships between rural adolescents'prosocial behaviors and young adult substance use. Journal of Youth and Adolescence, 40(9), 1192–1202.
6.Moore, C. W., & Allen, J. P. (1996). The effects of volunteering on the young volunteer. Journal of Primary Prevention, 17(2), 231–258.
7.Schreier, H. M., Schonert-Reichl, K. A., & Chen, E. (2013). Effect of volunteering on risk factors for cardiovascular disease in adolescents: A randomized controlled trial. JAMA Pediatrics, 167(4), 327–332.
8.Zaff, J. F., & Michelsen, E. (2002). Encouraging civic engagement: How teens are (or are not) becoming responsible citizens. Child Trends. Retrieved from https://www.childtrends.org/publications/encouraging-civic-engagement-how-teens-are-or-are-not-becoming-responsible-citizens/.
9.Aknin, L. B., Hamlin, J. K., & Dunn, E. W. (2012). Giving leads to happiness in young children. PLoS One, 7(6), e39211.
Week52
1.Wolfson, J. A., & Bleich, S. N. (2015). Is cooking at home associated with better diet quality or weight-loss intention? Public Health Nutrition, 18(8), 1397–1406.
2.Reicks, M., Trofholz, A. C., Stang, J. S., & Laska, M. N. (2014). Impact of cooking and home food preparation interventions among adults: Outcomes and implications for future programs. Journal of Nutrition Education and Behavior, 46(4), 259–276. http://doi.org/10.1016/j.jneb.2014.02.001.
3.Condrasky, M., Graham, K., & Kamp, J. (2006). Cooking with a chef: An innovative program to improve mealtime practices and eating behaviors of caregivers of preschool children. Journal of Nutrition Education and Behavior, 38(5), 324–325.
4.Hersch, D., Perdue, L., Ambroz, T., & Boucher, J. L. (2014). The impact of cooking classes on food-related preferences, attitudes, and behaviors of school-aged children: A systematic review of the evidence, 2003–2014. Preventing Chronic Disease, 11, E193. http://doi.org/10.5888/pcd11.140267.
5.Musick, K., & Meier, A. (2012). Assessing causality and persistence in associations between family dinners and adolescent well-being. Journal of Marriage and the Family, 74(3), 476–493.
6.Meier, A., & Musick, K. (2014). Variation in associations between family dinners and adolescent well-being. Journal of Marriage and the Family, 76(1), 13–23. http://doi.org/10.1111/jomf.12079.
7.Harrison, M. E., Norris, M. L., Obeid, N., Fu, M., Weinstangel, H., & Sampson, M. (2015). Systematic review of the effects of family meal frequency on psychosocial outcomes in youth. Canadian Family Physician, 61(2), e96–e106.
8.Skeer, M. R., & Ballard, E. L. (2013). Are family meals as good for youth as we think they are? A review of the literature on family meals as they pertain to adolescent risk prevention. Journal of Youth and Adolescence, 42(7), 943–963.

1週間に1つずつ。
わたしと家族の幸せ時間をつくる52の習慣

発行日　2020年3月20日　第1刷

Author　ブレット・ブルーメンソール＆ダニエル・シェイ・タン
Translator　手嶋由美子（翻訳協力：佐伯葉子、株式会社トランネット）
Book Designer　米谷知恵

Publication　株式会社ディスカヴァー・トゥエンティワン
〒102-0093 東京都千代田区平河町 2-16-1 平河町森タワー 11F
TEL　03-3237-8321（代表）03-3237-8345（営業）
FAX　03-3237-8323
http://www.d21.co.jp

Publisher　谷口奈緒美
Editor　大竹朝子（編集協力：石橋和佳）

Publishing Company　蛯原昇　千葉正幸　梅本翔太　古矢薫　青木翔平　岩﨑麻衣　小木曽礼丈　小田孝文
小山怜那　川島理　木下智尋　越野志絵良　佐竹祐哉　佐藤淳基　佐藤昌幸　直林実咲
橋本莉奈　原典宏　廣内悠理　三角真穂　宮田有利子　渡辺基志　井澤徳子　俵敬子
藤井かおり　藤井多穂子　町田加奈子　丸山香織

Digital Commerce Company
谷口奈緒美　飯田智樹　安永智洋　大山聡子　岡本典子　早水真吾　磯部隆　伊東佑真
倉田華　榊原僚　佐々木玲奈　佐藤サラ圭　庄司知世　杉田彰子　高橋雛乃　辰巳佳衣
谷中卓　中島俊平　西川なつか　野﨑竜海　野中保奈美　林拓馬　林秀樹　牧野類
松石悠　三谷祐一　三輪真也　安永姫菜　中澤泰宏　王廳　倉次みのり　滝口景太郎

Business Solution Company
蛯原昇　志摩晃司　野村美紀　藤田浩芳

Business Platform Group
大星多聞　小関勝則　堀部直人　小田木もも　斎藤悠人 山中麻吏　福田章平　伊藤香
葛目美枝子　鈴木洋子　畑野衣見

Company Design Group
松原史与志　井筒浩　井上竜之介　岡村浩明　奥田千晶　田中亜紀　福永友紀　山田諭志
池田望　石光まゆ子　石橋佐知子　川本寛子　宮崎陽子

Proofreader　文字工房燦光
DTP　株式会社 RUHIA
Printing　シナノ印刷株式会社

ISBN978-4-7993-2592-6　©Discover21,Inc., 2020, Printed in Japan.

Discover

人と組織の可能性を拓く
ディスカヴァー・トゥエンティワンからのご案内

本書のご感想をいただいた方に
うれしい特典をお届けします！

特典内容の確認・ご応募はこちらから

https://d21.co.jp/news/event/book-voice/

最後までお読みいただき、ありがとうございます。
本書を通して、何か発見はありましたか？
ぜひ、感想をお聞かせください。

いただいた感想は、著者と編集者が拝読します。

また、ご感想をくださった方には、お得な特典をお届けします。